nos interesamos en
la gramática generativa.
Un abrazo,

Palome

Madrid
Febrero, 1991

FUNDAMENTOS DE MORFOLOGÍA

SOLEDAD VARELA ORTEGA

Colección:
LINGÜÍSTICA

Director:
Francisco Marcos Marín

FUNDAMENTOS DE MORFOLOGÍA

Soledad Varela Ortega

EDITORIAL
SINTESIS

Diseño de cubierta: ISIDRO ÚBEDA

Este libro ha sido compuesto mediante una ayuda concedida por el Ministerio de Cultura a la edición de obras que componen el Patrimonio literario y científico español.

© EDITORIAL SINTESIS, S. A.
    Vallehermoso, 32-4.º A Izq. 28015 Madrid
    Teléfono (91) 593 20 98

Depósito legal: M. 33.305-1990
ISBN: 84-7738-090-2

Fotocompuesto en MonoComp, S. A.
Impreso en Lavel, S. A.
Impreso en España - Printed in Spain

Índice

5

Prólogo *

Este libro trata de la forma de las palabras; dicho de manera más ambiciosa, pretende ser una introducción a la teoría morfológica. Está pensado para estudiantes universitarios interesados en las ciencias del lenguaje que quieran tener una noción general de lo que es en la actualidad el campo de estudio de la morfología y, como tal introducción, no da nada (o casi nada) por supuesto.

La morfología tiene un estatuto especial dentro de la ciencia del lenguaje: es parte de la gramática y es parte del léxico. Ha sido una rama de estudio de la lengua que ha producido aportaciones de gran relieve a lo largo de la historia de la lingüística: contamos con muy buenas descripciones morfológicas de lenguas sobre las que casi no se conoce otra cosa; las distinciones morfológicas han servido de pauta para clasificar las lenguas del mundo y en ellas ha basado más de un modelo gramatical la distinción entre las «partes de la oración», por lo que no es exagerado afirmar que la morfología ha caracterizado un modo de escribir gramáticas.

El estructuralismo, sobre todo en su vertiente americana, demostró en su momento un gran interés por la morfología y nos ha dejado los mejores trabajos descriptivos sobre la materia. Actualmente, la morfología se reconoce mucho más variada y compleja. Justamente por la mezcla de factores que configuran el campo de la palabra es por lo que la gramática generativa hasta hace bien poco había «deshecho» el componente morfológico, destinando la explicación de lo que ahí ocurría a otros componentes de la gramática más uniformes y desarrollados: el fonológico y el sintáctico. Pero, a medida que se ha ido profun-

* Parte de la investigación de la propia autora, que se recoge en varias secciones de este libro, ha sido financiada gracias a la subvención CICYT al proyecto «Configuración y papeles temáticos en la sintaxis y la morfología» (PB-85-0284).

dizando en la investigación tanto fonológica como sintáctica, la singularidad de lo léxico (y, más en concreto, de lo morfológico) se ha ido revelando con mayor fuerza. Y así vino «le retour de la morphologie», como titulaba la revista francesa *Langages* uno de sus números de 1985. No se ha tratado, con todo, de una vuelta a lo de antes. Gracias a su paso por otros lugares de la gramática, el léxico, en su vertiente morfológica, ha vuelto enormemente enriquecido y abierto a nuevas perspectivas. Dicho de una manera resumida, la característica más sobresaliente de esta «rentrée» ha sido el grado de formalización y la extensión que ha alcanzado la morfología léxica.

Hoy se sabe, en efecto, mucho más acerca de los mecanismos de formación de nuevas palabras en las lenguas del mundo y se investiga extensamente en los principios que rigen la estructura vocabular y en los diversos condicionamientos que imponen en la oración los distintos tipos morfológicos de palabras. En concreto, la morfología, como parte del componente léxico, se ha conformado con sus primitivos propios, sus propiedades particulares y los principios que las gobiernan. Pero, además, se han marcado nuevos caminos para la investigación, algunos de ellos en conexión con el componente fonológico —«fonología léxica», por ejemplo— y otros, con el sintáctico. En este intercambio, la morfología ha salido sin duda enriquecida, pero, a su vez, ha quedado patente lo poco que aún sabemos sobre la constitución formal de las palabras y sobre las especiales relaciones que la morfología mantiene con los demás componentes gramaticales. De este desconocimiento se deriva sin duda que, en comparación con la sintaxis, por ejemplo, la morfología esté aún en un estadio de formalización incipiente.

El campo de la palabra se ha abierto, a la vez que se ha complicado de manera muy atractica y —esperemos— beneficiosa para el avance de la ciencia lingüística, con la inclusión de la morfología en la «gramática formal» y su exposición a los principios generales de la gramática. Pues, como todo aspecto del estudio de la lengua, los «casos» morfológicos, aunque interesantes en sí mismos, lo son sobre todo en la medida en que nos permitan ahondar en los principios generales que regulan el lenguaje y, en última instancia, por cuanto que, a través de este conocimiento, nos revelen ciertas propiedades abstractas de los mecanismos que rigen la mente humana.

El libro está centrado en los tipos morfológicos que se dan en la lengua española y, por ello, se circunscribe básicamente a procesos morfológicos concatenantes (de prefijación, sufijación y composición). Apenas se presta atención a fenómenos propios de lenguas con morfología no concatenante como son aquellas que se sirven, por ejemplo, de la mutación o la reduplicación de determinados segmentos fónicos como medio de expresión de categorías morfológicas.

Siempre que ha sido posible, hemos completado la explicación con ejemplos del español. Cuando no ha sido posible, hemos recurrido a otras lenguas, mayoritariamente al inglés por ser lengua en la que la investigación formal de la palabra está más desarrollada.

La elección y la extensión de los temas que se incluyen están ambas condicionadas por la pertinencia de éstos para la morfología del español y por el hecho de que pudiéramos disponer de trabajos sobre el asunto en cuestión así como por nuestra propia trayectoria investigadora. De ahí que haya cierta desproporción entre el espacio que se dedica a unas partes de la morfología y el que le toca a otras.

Quiero mencionar mi agradecimiento a Carlos Piera por haber leído la mayor parte de este texto y, como en otras ocasiones, haberme hecho observaciones acertadísimas. También estoy en deuda con otro amigo, Joan Mascaró, que tuvo la paciencia de leerse algún capítulo ayudándome a encontrar ejemplos apropiados en español. Aunque no relacionada directamente con este libro, Violeta Demonte tiene también mi agradecimiento por su constante apoyo y ejemplo en estas tareas de estudio de la lengua.

1.

Concepción y límites
de la morfología

1.1. Introducción

La morfología, como disciplina lingüística, trata de la forma interna de las palabras, más exactamente de su *estructura*. Denominaremos a las palabras que muestran estructura interna palabras *complejas*; en español, éstas son *palabras flexionadas* como «escrib**ían**» o «buen**os**», *palabras derivadas* como «**pre**scribir» o «bon**dadoso**» y *palabras compuestas* como «aguanieve» o «limpiaparabrisas». El cometido de la morfología es analizar y explicar tales estructuras léxicas.

Si comparamos el contenido de esta disciplina lingüística con el de la sintaxis, por ejemplo, tal vez el cometido de la morfología pueda parecer, en principio, uniforme y relativamente simple. Sin embargo, lo cierto es que la morfología, al menos la de orientación generativista, se configura hoy como un campo de la investigación lingüística enormemente variado y complejo.

La gramática generativa tiene como objetivo dar cuenta de la *competencia* lingüística del hablante, de su capacidad de entender y crear emisiones de lengua. Dentro de este objetivo general, el investigador de la morfología tratará de reflejar en su explicación el conocimiento que tiene el hablante no solo de la *estructura interna de las palabras* sino también de la *relación formal entre determinadas palabras* de su lengua y de los principios que rigen la *formación de nuevas palabras*.

Con ello dará cuenta de una parte de la competencia léxica del hablante, más precisamente reflejará su *competencia morfológica*, que es el objetivo último de la Morfología.

Es preciso, antes de nada, reconocer la diferencia existente entre el conocimiento que tiene el hablante de los cambios que sufre la palabra en virtud de su declinación o conjugación, esto es, los cambios flexivos a los que está sometida la palabra, y los que pueda experimentar ésta por el hecho de entrar en derivación o composición.

En el primer caso, se trata de operaciones morfológicas obligatorias, automáticas, regulares en su resultado y de productividad prácticamente irrestricta. El otro caso, el de derivación o composición, corresponde al apartado de formación de palabras, el cual. se caracteriza por su capacidad creativa, reflejo de la cual es la falta de regularidad, la existencia de lagunas y fenómenos idiosincrásicos que aparentemente escapan a toda sistematización por medio de reglas de alcance general.

Efectivamente, es sabido que los procesos de morfología derivativa y composicional —los que entran en juego cuando se forman nuevas palabras a partir de otras palabras más simples— no son totalmente regulares, ni siquiera mínimamente productivos en algunos casos. Limitándonos al caso de la derivación, podemos observar que un mismo verbo del español, como por ejemplo *saludar*, tiene más de un nombrador derivado; un derivado sufijal: *salutación*, frente a otro postverbal: *saludo*; en otros verbos, en cambio, el nominal puede proceder de un participio pasado, como (el) *lavado* en el caso del verbo *lavar*, o de un infinitivo, como (el) *cantar* en el caso del verbo *cantar*, el cual cuenta, además, con el derivado sufijal *canción*.

Sin duda, tampoco los sufijos tienen un significado constante y diferenciativo: *-or* puede servir para indicar la acción o su resultado como en *temor*, el agente como en *pintor* o el instrumento como en *transmisor*. Consecuentemente, las relaciones sintácticas que se pueden establecer en los sintagmas con uno de estos nominales como núcleo tampoco guardan relación con una forma sufijal determinada. Fijémonos en sintagmas como «el tem*or* de la niña», frente a «el dol*or* de cabeza» o «el gros*or* de la mesa». Asimismo, una misma forma derivada puede encerrar más de un significado; este es el caso, por ejemplo, de *entrada* que, además de significar «la acción de entrar», comprende otros significados específicos como son «lugar por donde se entra a un recinto» o «billete, tique que sirve para entrar en un teatro u otro lugar donde se dan espectáculos». Por otra parte, a una misma raíz verbal —ya lo hemos visto— le puede corresponder más de un derivado con el mismo significado básico pero con diferentes significados particulares, de tal manera que cada vocablo se especializa para determinados contextos, como es el caso de *abandono* frente a *abandonismo* o de *recibimiento* frente a *recibo*.

El hecho de que un nominal adopte un determinado sufijo tampoco parece que obedezca a ninguna pauta regular que tenga que ver, pongamos por caso, con el contenido semántico o el comportamiento sintáctico del verbo con el que se relaciona. De *desencantar* tenemos *desencanto*, pero no *desencantismo*, mientras que para el verbo *protagonizar* contamos con el nombre *protagonismo* pero no con *protagonizo*. Y así en otros muchos casos.

¿Quiere esto decir que en lo que respecta al léxico derivado, una de las partes fundamentales de la Morfología, no es posible «hacer ciencia», que no es posible lograr algún tipo de sistematización o formalización? Nos parece que, si bien el panorama descrito más arriba es el que se ofrece a primera vista, no es cierto que los procesos derivativos escapen a algún tipo de sistematización.

Pensemos en el carácter dependiente de todo derivado, al que se ha definido como pieza léxica emparentada con otra del lexicón. Es evidente que todo hablante de la lengua percibe la relación entre una forma básica y su derivado; se apoya este conocimiento principalmente en una similitud fónica, aunque también es posible que se base en el hecho de que la relación semántica entre forma básica y forma derivada es, en gran medida, predecible porque, junto a las muchas irregularidades aparentes, son también muchas las relaciones regulares que se producen. Ante un nuevo derivado, está claro que ningún hablante de la lengua en cuestión se siente totalmente ignorante, como en el caso de una pieza léxica nueva que no tenga ninguna clase de conexión con otras ya existentes en su léxico. Del derivado, puede el hablante nativo decir muchas cosas: cuál es su primitivo (si, como en la mayoría de los casos ocurre, éste tiene realización léxica), qué afijo o afijos se le han añadido, qué tipo o tipos de relaciones semánticas es presumible que mantenga con la forma base, o qué cambios fónicos ha experimentado la base al añadírsele el afijo.

Si bien es, en principio, impredecible, el tipo de afijo que reciba una forma léxica simple no puede decirse lo mismo de las piezas léxicas derivadas; en este caso, la trayectoria morfológica es, hasta cierto punto, predecible a partir de un afijo determinado. Así, p.e., los verbos en *-izar* e *-ificar* del español nunca suministran nombres temáticos: *la/el certifica/o/e (vs. *el pago*, *la paga*, *el coste/o* o *la(s) costa(s)*, p.e.), ni admiten el sufijo *-al* pero, en cambio, son muy productivos en la formación de adjetivos en *-ble* y nombres en *-ción*; sabemos, asimismo, que los verbos en *-izar* se unen productivamente a adjetivos en *-al* o *-ar*, derivados, a su vez, de nombres. Si pasáramos revista a todos los procesos de formación de palabras del español, no nos sería difícil

13

deducir este tipo de generalizaciones de la mera observación de las propiedades distribucionales de los afijos de la lengua.

Por otra parte, la nueva forma derivada tiene unas características sintácticas deducibles a partir del primitivo y de sus propios rasgos formales, como, por ejemplo, que si es un agente no podrá ir acompañada de un sintagma nominal con *por* de carácter agentivo:

(1)
El inventor de la rueda (*por el hombre prehistórico)

También es posible predecir que si la forma derivada es un nombre de objeto o resultado, no irá acompañada de un sintagma objeto o tema:

(2)
Los empleados (*de obreros) de la fábrica de coches

Igualmente, se conocerán las restricciones de selección que han de pesar sobre el derivado: en las derivaciones regulares, las mismas que pesan sobre la forma base. Esto es, así como la oración de (3)a. es gramatical porque el verbo («construir») se combina con aquellos argumentos que son semánticamente congruentes con su significado propio, pero (3)b. es, en cambio, aberrante por no respetar tal condicionamiento:

(3)
a. Los soldados *construyeron* un muro
b. Los pasteles *construyeron* la lluvia

el sintagma nominal de (4)a., que representa la nominalización de (3)a., es, igualmente, aceptable, pero no así la versión nominalizada de (3)b., esto es, (4)b.:

(4)
a. La *construcción* del muro por los soldados
b. La *construcción* de la lluvia por los pasteles

El hablante sabe, además, que las reglas derivativas se aplican en un orden determinado; orden que está prefijado por la distribución propia de cada afijo —su subcategorización— que es la que regula la buena formación de una palabra compleja como:

(5)
a.   constitu]$_V$ cion]$_N$ al]$_A$ mente]$_{Adv}$

pero marcará como mala la formación:

(5)
b. *constitu] mente] al] ción]

Otro aspecto importante del conocimiento del hablante nativo que configura su «competencia morfológica» consiste en su capacidad de reconocer palabras posibles y palabras no posibles. En efecto, lo mismo que ocurre con las agrupaciones fónicas permitidas en una lengua y las no permitidas pero posibles, el hablante tiene clara intuición de qué lagunas son puramente accidentales y podrían llegar a rellenarse con la pieza léxica correspondiente y qué otras formas es muy probable que nunca lleguen a crearse en el sistema actual de la lengua.

Todas estas cosas que hemos mencionado, y otras más que irán saliendo a lo largo de estas páginas, son muestra del aspecto regular y productivo de la morfología derivativa de una lengua como la española. Ellas son una parte del contenido y el objeto de toda teoría morfológica.

Como es sabido, lo que se entiende en la teoría lingüística generativa por «conocimiento de la lengua» consiste técnicamente en «conocimiento de la gramática» de esa lengua por parte del hablante, conocimiento, por lo demás, no propiamente consciente. Esta competencia gramatical se refleja, dentro de la gramática generativa, en un modelo que contiene un sistema de reglas que permiten generar y relacionar ciertas representaciones formales y semánticas. *Reglas de formación de palabras* , en el caso de la morfología, que pueden en realidad considerarse como una hipótesis sobre la naturaleza de la relación formal que existe entre palabras o entre porciones de palabras de la lengua en cuestión y que el gramático formula apoyado en su intuición sobre las combinaciones de morfemas que son o no son posibles en la lengua que estudia. Dado que, como hemos dicho antes, el hablante es capaz de emitir juicios sistemáticos con respecto a la buena o mala formación de una palabra o sobre la relación formal de determinada palabra de su léxico con unas palabras pero no con otras, las reglas mencionadas reflejan, de alguna manera, el conocimiento de la estructura léxica de su lengua, suponiendo el lingüista que el conocimiento de la lengua consiste, en parte, en el conocimiento inconsciente de tales reglas sistemáticas. Saber una lengua es, técnicamente, conocer, entre otras, esas reglas.

Con este programa de trabajo por delante, no pueden resultar extrañas, entonces, la variedad y complejidad que refleja en la actualidad esta disciplina lingüística que es la morfología. Veamos, en síntesis, cuáles son sus cometidos y contenidos. La división que presentamos a continuación es puramente pedagógica; en realidad, los tres cometidos a que nos vamos a referir, el generativo, descriptivo y relacional, están íntimamente relacionados y son todos ellos aspectos inseparables de la «competencia morfológica».

1.2. Aspectos de la competencia morfológica

1.2.1. Aspecto generativo

Una teoría morfológica ha de contener aquellas reglas o representaciones formales que permitan generar todas las palabras existentes, potenciales o posibles de una lengua e impidan la formación de las imposibles. De esta manera, se dará cuenta, en parte, de la *creación léxica* y, con ella, de un aspecto de la creatividad lingüística que es consustancial al hablante.

Este tipo de reglas morfológicas atiende a restricciones de diverso tipo: semánticas, sintácticas, fónicas.

Así, por ejemplo, el que el sufijo diminutivo *-ito* (con sentido de tamaño empequeñecido) no pueda agregarse a bases nominales provistas ya de determinados sufijos aumentativos como *-azo*: *osazo* → **osacito* se explica porque produciría, evidentemente, una forma incongruente desde el punto de vista semántico. Que esta incompatibilidad no es de otro tipo más que semántica, se advierte porque, en cambio, la diminutivización es posible con el afijo *-azo* cuando éste significa «golpe agresivo» o «golpe brusco dado con algo», así en *latigacito* o *puñetacito*. O en el caso en que el sufijo aumentativo haya desarrollado aún otros significados distintos del aumentativo como en *sillón* (≠«silla grande») o *salón* (≠«sala grande») donde es posible obtener *silloncito* o *saloncito* (vid. Lázaro Mora: 1976).

Será posible postular este tipo de restricciones semánticas cuando el afijo en cuestión tenga valor propio y definido y se detecten claras incompatibilidades de combinación. Así, por ejemplo, el tipo de prefijo *re-* del esp. que aparece en formas como *re-modelar*, *re-construir* o *re-scribir*, sólo puede añadirse a bases verbales que permitan que el contenido expresado por ellas se realice de nuevo con mayor precisión y exactitud. Es decir, a verbos que implican o entrañan un cambio de estado en su objeto. No a verbos estativos como *estar (*re-estar)* o perfectivos como *morir (*re-morir)*.

En otras ocasiones son condicionamientos de carácter sintáctico, de combinatoria morfemática, los que están en la base de una formación léxica. Por ejemplo, la «Regla de Formación de Palabra» que adjunta el sufijo *-ble* para crear adjetivos es muy productiva en el español moderno. Muchos adjetivos con esta forma quizás no figuren en los diccionarios, por más nuevos y abarcadores que éstos sean, y, sin embargo, los hablantes del español podríamos interpretarlos fácilmente y usarlos llegado el momento. Tal es el caso de una formación como *adecentable* («que puede ser adecentado») o *prometible* («que se puede prometer»). Por el contrario, otras formas deverbales en *-ble* como **fracasable*, **suspirable* o **ible*, difícilmente tendrían aceptación y es poco probable que se lleguen a incluir en el vocabulario general hispano. Esto es así porque no basta sólo con que en la base del adjetivo en *-ble* se halle un verbo, sino que tal verbo tiene que tener unas características específicas como son las de ser transitivo o, más precisamente, la de llevar algún argumento que indique el *tema* o el *objeto* del predicado.

En otras ocasiones, la razón de una mala formación es de índole puramente morfológica; es decir, una categoría morfológica, como el número o la clase conjugacional, determina la elección de un afijo específico. Por ejemplo, podemos apostar que si creamos un nuevo verbo en *-ec-*, sobre el modelo de *empobr-ec-er* o *en-sombr-ec-er*, su nominal correspondiente será siempre en *-miento*; el nuevo verbo no podrá echar mano de otros sufijos nominalizadores como *-ción* o *-dad* ya que los verbos de la segunda conjugación con el sufijo *-ec-* se han especializado para nominalizaciones en *-miento*: **empobrecidad*, **empobrecición*, etc. son todas malas formaciones y la hipotética nueva forma se acogerá al modelo productivo actualmente para los verbos de la 2.ª conjugación en *-ecer*.

Por último, nuestras reglas de generación de palabras han de fijarse en restricciones de carácter fónico. Así, por ejemplo, los sufijos *-ez/-eza,* que forman nombres a partir de adjetivos, se especializan para determinadas bases de acuerdo con el número de sílabas que contenga el adjetivo al que se adjuntan de forma que, si creáramos una nueva palabra con este sufijo, es probable que siguiéramos la regla general que determina que aquellas bases adjetivales con más de dos sílabas escogen preferentemente la forma *-ez*:

(6)
a. $[[\text{testarud}\phi]_A \ \text{ez}]_N$ no *testarudeza

y las que tienen por debajo de tres sílabas escogen la forma *eza*:

(6)
b. $[[\text{grand}\phi]_A \ \text{eza}]_N$ no *grandez

Los alomorfos *-edad/-idad* del sufijo nominal de origen adjetival también se distribuyen de acuerdo con pautas fónicas en el español moderno. Los adjetivos bisílabos llanos terminados en vocal escogen la primera opción, como regla general: así *terco → terqu-edad*, *seco → sequ-edad*, *corto → cort-edad* (*sano → san-idad* no indica «carácter o cualidad de A») frente a: *tóxico → toxic-idad*, *emotivo → emotiv-idad*, *legal → legal-idad*.

Hay que advertir que, como siempre en la creación léxica, lo que examinamos son reglas de carácter general que están en la base de la formación regular; otra cosa es aquellas formas que nos han llegado ya constituidas de acuerdo con otros patrones que no están vigentes hoy día. De todo ello hablaremos con más detenimiento en el Capítulo 4.

1.2.2. Aspecto descriptivo

Otra de las competencias morfológicas del hablante, que está en la base de la creación léxica, es su capacidad de reconocer las partes que componen una palabra, los *morfemas* que contiene, y las relaciones que éstos mantienen entre sí. En este sentido, toda teoría morfológica deberá proporcionar a cada palabra compleja su *estructura* apropiada. Para cumplir este objetivo, deberá contar con los mecanismos descriptivos adecuados que le permitan analizar las palabras existentes en sus morfemas constitutivos, especificando la forma fonológica de éstos, sus *morfos*, y sus posibles variantes o *alomorfos*. Ha de proporcionar, asimismo, una descripción de la relación entre tales morfemas, esto es, ha de proporcionar a la palabra una estructura señalando de qué manera se interrelacionan los morfemas que contiene.

Es fácil reconocer que la estructura de la palabra compleja en una lengua como la española no se corresponde con un orden estrictamente lineal, como sugiere la ordenación de los morfemas, sino que, al igual que ocurre con las unidades superiores, el sintagma o la oración, la palabra se compone de unos constituyentes que se relacionan entre sí de acuerdo con un orden jerárquico. En una palabra como el nombre:

(7)
[[in [[[constitu]$_V$ cion]$_N$ al]$_A$]$_A$ idad]$_N$

podemos comprobar que el orden de concatenación es el seguido por el encorchetamiento propuesto (V → N → A → A neg. → N): al verbo *constituir* se le añade el sufijo nominalizador *-ión*, que es sufijo que requiere base verbal ; el nuevo nombre, a su vez, recibe el sufijo adjetivador *-al*, que se asienta sobre nombres; el nuevo adjetivo se niega con el prefijo *in-*, típicamente negador de adjetivos, y, por último, el adjetivo negativo resultante recibe el sufijo nominalizador *-(i)dad*.

18

Nuestro modelo descriptivo ha de ser capaz también de mostrar la relación alomórfica que existe entre -al/-ar como formadores de adjetivos, condicionada grandemente por factores fónicos, o entre in-/im-/i-, alomorfía totalmente fónica, de modo que quede reflejada la relación entre el nombre que acabamos de analizar y otros como:

(8)
$[[i\text{-} [[rregul]_N \mathbf{ar}]_A]_A idad]_N$

Como ya ha quedado patente a lo largo del análisis de la palabra «inconstitucionalidad», los hablantes conocen las posibilidades combinatorias de los morfemas, reguladas por cuestiones de subcategorización. Por ejemplo, -ción es un sufijo que se añade a bases de la categoría [+V] pero nunca a otras, de tal manera que (9)a. o (9)b. son formas imposibles:

(9)
a. $*[[mesa]_N ción]$
b. $*[[verde]_A ción]$

El modelo descriptivo que diseñemos tiene que tomar en cuenta, por lo tanto, las particularidades combinatorias de cada morfema.

Por último, los morfemas, en su concatenación para formar unidades superiores, componen significados que el hablante nativo suele reconocer fácilmente e interpretar acertadamente cuando se ajustan a la norma general. Por ejemplo, si oigo por primera vez el enunciado: «Ese vocablo es *imparafraseable*», puedo entender enseguida que se trata de un vocablo «que no puede ser X» o «que no se puede X», por más que no conozca la voz «parafrasear». No hay que olvidar que las formas derivadas constituyen un sector del léxico organizado y estructurado en que es posible detectar numerosas sub-regularidades no solo desde el punto de vista formal sino también desde el semántico. El derivado, como también el compuesto, están relacionados con otra palabra del léxico, tienen una cierta motivación etimológica en la sincronía de la lengua.

Pues bien, nuestro modelo descriptivo tiene que reflejar las relaciones semánticas que componen entre ellos los diversos morfemas en una palabra compleja, dependientes, fundamentalmente, del abarque semántico de los afijos que la constituyen.

Pensemos en un nombre como: *reformulación* y decidamos si entendemos tal palabra como «la acción de reformular» o como «nueva formulación, vuelta a otra formulación». Si, como creemos, la interpretación correcta es la primera —donde el prefijo *re-* abarca al tema verbal *formula(r)*—, la siguiente será, consecuentemente, la descripción correcta:

(10)

a.   [[re [[formula]$_N$]$_V$]$_V$ ción]$_N$

y no (10)b, que corresponde a la segunda interpretación mencionada en la que el prefijo tiene alcance sobre el nombre *formulación*:

(10)

b.   [re [[[formula]$_N$]$_V$ ción]$_N$]$_N$

A veces, una palabra compleja encierra en sí más de una relación semántica entre sus morfemas la cual se asienta en relaciones morfotácticas distintas entre sus constituyentes. Un caso del francés, especialmente interesante (vid. Tranel: 1976), es aquel donde la doble estructuración, y la doble interpretación semántica consecuente, están avaladas por una distinta pronunciación, por una distinción fonética. Así, el adjetivo francés *immortalisable* = «inmortalizable» tiene la doble estructura de (11)a. y (11)b.:

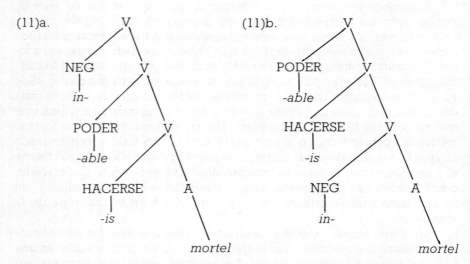

(11)a.   V
NEG   V
in-
PODER   V
-able
HACERSE   A
-is
mortel

(11)b.   V
PODER   V
-able
HACERSE   V
-is
NEG   A
in-
mortel

En el caso de (11)a., la interpretación es: «que no puede hacerse mortal» y, según parece, la realización fonética de la primera parte de la palabra es: [ɛ̃mɔ...]. En el caso de (11)b., la interpretación es: «que puede hacerse inmortal o no-mortal» pero, curiosamente, la realización fonética de la misma secuencia de antes es: [i(m)mɔ ...].

Un ejemplo similar del español, salvo por la falta de diferenciación fónica, sería *inutilizable* = (a) «que no puede ser utilizado» o (b) «que puede ser inutilizado», de acuerdo con las dos estructuras que figuran a continuación:

(12)
a. [in [[[util]$_A$ iza]$_V$ ble]$_A$]$_A$ = «que no puede ser utilizado»
b. [[[in [util]$_A$]$_A$ iza]$_V$ ble]$_A$ = «que puede ser inutilizado»

En otros casos, la doble interpretación semántica posible origina una parcelación morfológica distinta, no solo una estructura morfológica dispar. Así, p.e., *manazas* puede interpretarse como «manos grandes», de acuerdo con la segmentación:

(13)
a. [[[[man]az]a]s], donde se señalan —como es lo obligado— los morfemas de género (-*a*) y número (-s).

Pero, también puede interpretarse como «desmañado, torpe», en cuyo caso la segmentación adecuada sería:

(13)
b. [[man]azas], donde no aislamos los morfemas flexivos y tratamos -*azas* como un morfema único, de carácter despectivo, ya que podemos concertar este nombre adjetivo con un determinante singular y masculino, como en el sintagma «un manazas», lo cual equivale a decir que las marcas -*a* y -*s* no son aquí sintácticamente relevantes y, por lo tanto, no constituyen propiamente morfemas flexivos.

De todo esto hablaremos con más detenimiento en el Capítulo 3.

2.2.3. Aspecto relacional

Por último, los hablantes saben relacionar palabras que pertenecen a un mismo grupo por su forma, a un mismo paradigma, de modo que nuestra teoría morfológica tendrá que tener la capacidad de expresar las relaciones, de similitud o diferencia, entre unidades léxicas formalmente emparentadas. Esta ha sido la práctica común en la tradición gramatical en el caso de las formas flexionadas de un mismo artículo léxico: agruparlas en paradigmas como la «declinación» o la «conjugación». No ha sido, por el contrario, la práctica seguida generalmente en el caso de la derivación o la composición. Sin embargo, todo hablante de español sabe que los vocablos *atacar* y *ataque*, por ejemplo, están formal y semánticamente relacionados y que ambos pueden ir acompañados de los mismos argumentos, un agente y un objeto o tema:

(14)
a. Los soldados$_{AGENTE}$ atacaron la fortaleza$_{TEMA}$
b. El ataque de/a la fortaleza$_{TEMA}$ por los soldados$_{AGENTE}$

También sabemos que *quemar* y *quemarse* son una misma forma verbal, pero con posibilidades distribucionales distintas, y que esta relación se repite entre otros muchos pares de vocablos en el léxico español: *hundir/hundirse*, *cocer/cocerse*...

(15)
a. Juan quemó el tapete
b. El tapete se quemó

También *escribir* y *rescribir* son formas relacionadas, pero así como puedo decir:

(16)
a. Juana escribió la carta
b. Juana rescribió la carta

la similitud entre ellos no va mucho más allá, ya que puedo decir:

(17)
a.   Juana nos escribió que había tenido gemelos

pero no:

b. *Juana nos rescribió que había tenido gemelos

Todas estas relaciones, de similitud y diferencia, entre palabras simples y sus derivados correspondientes deben ser observadas, descritas y analizadas por medio de algún mecanismo explicativo, si perseguimos el objetivo de dar cuenta de todo aquello que el hablante conoce de esta parcela de la lengua que es la palabra compleja —derivada, compuesta o flexionada—, objeto de estudio de la Morfología. De ello hablaremos con más detenimiento en el Capítulo 7.

1.3. Especificidad de la competencia morfológica

1.3.1. General

A diferencia de la sintaxis, donde hablamos de oraciones gramaticales y oraciones no-gramaticales, en morfología hemos de considerar no solo las *palabras posibles* y las palabras *no-posibles*, sino también las *palabras existentes*. En sintaxis, efectivamente, no cabe hablar de cuáles sean las oraciones existentes en la lengua. En el léxico, en cambio, la noción de «palabra existente» es básica; ellas son la base y el modelo de las nuevas formaciones o palabras «posibles» (vid. Aronoff: 1974).

Por otra parte, la noción de palabra compleja posible es de sumo interés para la teoría morfológica pues representa la medida de la potencialidad de una regla de formación de palabra determinada, su grado de productividad (cfr. Cap. 4). En algunos modelos morfológicos, se defiende, incluso, que ciertas palabras posibles pero no realizadas en la lengua se constituyan en la base de formaciones ulteriores. El que las reglas morfológicas produzcan más palabras de las existentes no es, en principio, un inconveniente para la teoría morfológica. Otros principios, de la teoría de la actuación, como el de «economía léxica» o el de «rechazo de la sinonimia», pueden muy bien estar en la base de la explicación de este desfase entre palabras existentes y palabras posibles (vid. Hoekstra y Van der Putten: 1988).

1.3.2. Distintas competencias

Dado que el léxico está íntimamente ligado al aspecto cultural de la lengua, al conocimiento o la información cultural del hablante, así como al aspecto pragmático, de uso, de la lengua, no parece, en principio, posible referirnos, como en sintaxis, a la competencia en un sentido genérico, a la competencia de un hablante/oyente ideal. En sentido estricto, deberíamos hablar de distintas competencias. No obstante, cuando más arriba hacíamos relación de las «cosas» que sabe un hablante nativo sobre la morfología de su lengua, describíamos ciertamente una competencia general y presuntamente uniforme. El léxico, en cierto aspecto, se crea y se usa mediante mecanismos de interpretación morfológica generales que no dependen del grado de conocimiento cultural del hablante y es, por lo tanto, legítimo tratar de reflejar este conocimiento compartido, esta competencia, en la gramática de nuestra lengua.

Hay cierto número de datos en los que se fija el morfólogo para defender la existencia de una competencia morfológica general. Veamos cuáles son éstos.

a) La adquisición de la morfología por el niño: el niño crea y comprende las palabras complejas de su lengua según pautas generales que se basan fundamentalmente en el mecanismo de la analogía y de la motivación semántica, a las que hay que unir, en etapas posteriores, la presión de la norma (vid. Clark y Berman: 1984).

b) El cambio diacrónico: es sabido que el cambio morfológico se ajusta a principios generales (vid., recientemente, Anderson: 1989). Pensemos en las falsas etimologías, en la etimología popular, como una de las fuentes de nuevas creaciones morfológicas. También son interesantes las variaciones dialectales cuando son expresión de un estadio morfológico «intermedio» o la manifestación de otra de las posibles soluciones morfológicas para una nueva formación léxica.

c) Los neología léxica: los neologismos basados en mecanismos morfológicos son un tipo de manifestación de las posibilidades subyacentes al sistema léxico común (vid. Guilbert: 1975).

d) Los vulgarismos: las formaciones léxicas contra-la-norma son expresión, en más de una ocasión, de reglas morfológicas que se hacen extensivas a piezas léxicas que se forman de manera no regular; también ponen de manifiesto, en otros casos, cortes morfemáticos no ortodoxos o deseos de motivar semánticamente el vocablo complejo, cosas todas ellas que suministran al estudioso de la morfología interesantísimos atisbos sobre la manera en que el hablante saca provecho de la morfología de su lengua.

e) Patologías de lenguaje; fundamentalmente, la que se conoce por «agramatismo» ha suministrado pruebas de apoyo a la teoría morfológica para algunas de las distinciones propuestas, como es el caso de la distinción —ya tradicional— entre morfología derivativa y flexiva. (vid. Badecker y Caramazza: 1989).

1.4. Extensión de la morfología

En el eje temporal, hablamos de *morfología sincrónica* y *morfología diacrónica*. Algunos gramáticos consideran que es imposible separar una de otra y que ningún análisis morfemático de una palabra actual puede desligarse del rastreo genético. Las palabras complejas del español muy a menudo nos vienen así formadas del latín y, para la creación de las nuevas, nos basamos en los mecanismos de formación de palabras que subyacen a las ya creadas. De ahí, por ejemplo, que en los estudios clásicos sobre morfología del español sea común introducir los distintos afijos a partir de su forma de origen para luego mencionar su forma o sus particularidades actuales.

La reivindicación de una morfología sincrónica, independiente de la diacrónica, se basa en una serie de argumentos como los siguientes:

a) En ocasiones, el análisis diacrónico apropiado para una formación léxica determinada no se corresponde necesariamente con el correcto desde el punto de vista sincrónico. Por ejemplo, es posible suponer que los verbos parasintéticos del español se formaron, en muchos casos, mediante la sufijación previa y posterior prefijación, sobre la base de formas como (ant) *gradir* > (ant) *gradeçer* > *agradecer* o (ant) *basteçer* > *abastecer*; sin embargo, desde el punto de vista de las nuevas formaciones parasintéticas, en las que se combina prefijación y sufijación, no es válido transponer, sin más, el análisis diacrónico. De hacerlo así, nos obligaríamos a admitir que ciertas formas se constituyen sobre palabras no existentes previamente en la lengua. En efecto, si suponemos que en la formación de una palabra como *ensombr-ec-er*, procedemos en el orden *sombra* → **sombrecer* → *ensombrecer*, la teoría morfológica tendrá que prescindir de una de sus hipótesis más restrictivas, generalmente aceptada, según la cual las nuevas palabras se forman sobre otras palabras ya existentes. Por otra parte, en ausencia de razones distintas de las diacrónicas, la decisión de optar por esta dirección en la derivación, en lugar de la contraria, será totalmente arbitraria (cfr. Cap. 3).

b) El análisis que hace el hablante sobre la relación existente entre parejas de palabras formalmente conectadas —el cual se trasluce en la manera en que produce nuevas formaciones sobre el patrón deducido a través de su entendimiento de esa relación— se contradice a menudo con la «verdadera» relación desde el punto de vista histórico. Este es el caso, por ejemplo, de las llamadas «formas regresivas». Así, el nombre *legislador* proviene del lat. *legislatorem* y, a partir de él, se ha formado el verbo *legislar*; esta es la trayectoria correcta desde el punto de vista diacrónico, pero en el entendimiento del hablante la relación entre *legislar/legislador* es la misma que se establece entre *perder/perdedor* o entre *vender/vendedor*; es decir, la forma más simple es la básica: *legislar* y de ella deriva la más compleja desde el punto de vista formal: *legislador*. Este es, consecuentemente, el análisis que el morfólogo propondrá desde una perspectiva sincrónica, en la que no cabe hablar de «formación regresiva» pues es concepto carente de significación estructural (vid. Marchand: 1969).

Las deformaciones de las palabras por desconocimiento de su origen son, asimismo, otro punto de inflexión entre diacronía y sincronía. Cuando oímos el vulgarismo, muy extendido, *sobreasada* por *sobrasada*, suponemos inmediatamente que el hablante siente este vocablo como una formación compleja e interpreta la primera parte de él como un morfema bien asentado en su lengua: el prefijo *sobre-* , lo que le vale para motivar semánticamente esta forma; en una morfología sincrónica, que se interesa por describir el funcionamiento actual de la morfología de la lengua española, no valdrá de mucho reflejar el origen de esta palabra: «sale pressata», que para nada se trasluce en el uso actual de este vocablo.

c) Hay fenómenos de la lengua que se describirán y clasificarán en componentes distintos de la gramática según cuál sea el punto de vista del análisis, si diacrónico o sincrónico. Por ejemplo, fenómenos como el «umlaut» son, desde una perspectiva diacrónica, un hecho fonológico; dicho de manera simplificada, en las lenguas germánicas, las vocales posteriores se anteriorizaban cuando iban seguidas de una vocal anterior: Ex. al. *Hund* («perro») → *Hündin* («perra»). Actualmente, sin embargo, el «umlaut» es una regla morfológicamente condicionada; es un modo de señalar el plural en nombres y adjetivos que tienen una cierta estructura fónica (*Bruder* «hermano» → *Brüder* «hermanos», *Baum* «árbol» → *Bäume* «árboles») y, en este sentido, es un fenómeno que compete a la morfología.

En otros casos, la disociación se establece entre la sintaxis y la morfología. Este es el caso, por ejemplo, de los adverbios en *-mente* del español; desde una perspectiva diacrónica, este morfema constituye una palabra independiente que forma sintagma con un adjetivo que concuerda en genéro, número y caso con él; un asunto, por lo tanto, que concierne a la sintaxis. Desde el punto de vista de la sincronía, por el contrario, se analiza comúnmente como un sufijo adverbializador y entra dentro del componente morfológico, concretamente en el capítulo de formación de palabras. También hay ejemplos conocidos en el terreno de la morfología flexiva; las desinencias de persona y número de los tiempos simples de futuro y condicional del sistema verbal del español de hoy provienen del auxiliar *haber*, realizado antes como palabra independiente y hoy como morfema ligado.

d) El propio mecanismo descriptivo es, igualmente, dispar según sea el punto de vista adoptado, sincrónico o diacrónico. No es lo mismo el «antes» y el «después» de una regla diacrónica que los de una sincrónica (vid. Bloomfield: 1933). En el primer caso, se trata de una regla que pretende reflejar dos estadios en el tiempo, el segundo perteneciente a un estadio posterior en el tiempo al primero. En el caso de una regla sincrónica, los términos que aparecen a la izquierda y a la derecha de la regla no indican más que un orden de realización de carácter descriptivo. Por ejemplo, si nos fijamos en la relación entre las formas adjetivales de masculino y femenino del francés de (18):

(18)
grand /grã/ «grande»(masc) — grande /grãd/ «grande»(fem)
petit /pti/ «pequeño» — petite /ptit/ «pequeña»
faux /fo/ «falso» — fausse /fos/ «falsa»

sería lícito, desde una perspectiva sincrónica, considerar la forma femenina como básica y obtener a partir de ella la forma masculina de cada adjetivo simplemente postulando una regla de elisión de la consonante final del tipo:

(19)
$C \rightarrow \varnothing / \underline{\quad} \#$

Evidentemente, esta trayectoria no se refleja en la historia de la lengua francesa y no tiene, en principio, otro apoyo que el hecho de ser descriptivamente más simple y regular que la derivación contraria que tomara como forma básica del tema la correspondiente al masculino.

Otro caso de disparidad entre un hecho morfológico considerado en su evolución o en su funcionamiento actual es el ilustrado por las formas nominales del español en -eza (ant. *delgadeza*, *estrecheza*, *madureza*...) las cuales son, históricamente, anteriores a las formas en -ez (vid. Fernández Ramírez: 1986) con lo cual, desde el punto de vista diacrónico, sería válido proponer una regla de apócope vocálica para derivar esta segunda forma de la primera. Desde el punto de vista descriptivo, sin embargo, los dos sufijos son variantes alternativas de un mismo morfema cuya aparición —ya lo hemos visto antes— depende de ciertas condiciones fónicas de la base a la que se agregan.

e) En la investigación léxica de las lenguas romances, se ha propuesto el rasgo morfológico [± culto] (o [± popular]) para dar cuenta del distinto comportamiento fonológico de ciertos morfemas procedentes del mismo étimo: *noct(urno)/noche, episcop(al)/obispo, receptor/recibidor, suspecta/sospecha*... Tal rasgo tendría razón de ser en la sincronía de la lengua si ocurriera que los morfemas marcados con uno de sus valores mostraran un comportamiento morfológico propio como, p.e., que solo pudieran combinarse con otros dotados del mismo valor para el rasgo en cuestión. Sin embargo, no parece que tal correspondencia se vea confirmada por los datos. Aún con todo, puede que resulte relevante para la descripción morfológica tomar en cuenta cierta información histórica como es la contenida en el rasgo mencionado. Corbin (1987) señala, p.e., que en francés la selección de ciertos sufijos que se aplican a bases numerales para formar nombres de conjuntos o agrupaciones está ligada al origen de la base, según muestran los ejemplos de (20):

(20)

-ain(e)

septain (=septena)
neuvaine (=novena)
dizaine (=decena)
douzaine (=docena)
quinzaine (=quincena)
vingtain(e) (=veintena)
...

-et(te)

doublet(te) (=doblete)
tercet (=terceto)
triolet (=tresillo)
quadrette (=cuatrillo)
quadruplet(te) (=cuádruple)
quintolet (=quintillo)
...

-ade

monade (=mónada)
dyade (= díada)
triade (=tríada)
tétrade (=tétrada)
hebdomade (=hebdómada)
décade (=década)
...

Los nombres en *-ade* se construyen exclusivamente sobre bases de origen griego, los en *-ain(e)* sobre bases francesas y los en *-et(te)* sobre bases latinas o francesas.

En la morfología española quizá resulte oportuno, también, apelar a un rasgo del tipo [± heredado] con objeto de establecer cierta diferenciación entre dos estadios de lengua distantes en el tiempo. Así, el sufijo nominal *-miento* que aparece en *acuartelamiento, llamamiento, ofrecimiento...* suministra, de forma regular, nombres de acción, es de creación española y se podría calificar como [−heredado]. El otro alomorfo, *-mento*, que aparece en *aditamento, juramento, suplemento...*, forma nombres concretos, nunca de acción, nos viene desde el latín y, por lo tanto, se etiquetaría con el rasgo [+heredado] (vid. Fernández Ramírez: 1986).

2.

El componente morfológico: unidades, representaciones y modelos de organización

2.1. El lexicón y el componente morfológico

El componente morfológico forma parte del lexicón o diccionario y está constituido por elementos de diverso tipo: elementos sustantivos o *formantes* y elementos relacionales o *reglas*.

En primer lugar, consta de una *lista finita de morfemas* donde se incluyen palabras simples, esto es, monomorfemáticas, morfemas afijales, morfemas radicales y, quizás, para ciertas lenguas, morfemas temáticos. Es éste el punto de partida o «input» de las reglas de formación de palabras, al que llamaremos diccionario-base.

En segundo lugar, contiene un subapartado donde están almacenadas las *reglas de formación de palabras* (RFP's) que son —estrictamente hablando— el ámbito propio del componente morfológico. Estas actúan de dos maneras: como elementos «relacionales» que caracterizan un conjunto finito de unidades y como reglas «generativas» por medio de las cuales se construyen las palabras formalmente complejas.

En tercer lugar, el «output» o salida del componente léxico consiste en un *conjunto infinito de palabras*, generadas por medio de las RFP's a partir de los morfemas registrados en el diccionario-base. Esta sección del lexicón no puede estar almacenada por los hablantes bajo la forma de una lista de diccionario pues el cerebro humano no es capaz de retener un conjunto infinito de elementos. Debemos, pues, incluir un subconjunto de éstas: la *lista finita de palabras* o «palabras existentes».

Veamos todo esto con algunos ejemplos.

[luz]: es palabra simple que debe figurar en el diccionario-base con sus propiedades sintácticas, significado propio y representación fonológica.

[lucecita], [lucero], [lucir], [lucimiento], [relucir]...: las propiedades sintácticas, semánticas y fonológicas regulares de estos derivados pueden deducirse en la gramática por medio de principios generales a partir de sus constituyentes. Estas palabras, por tanto, no tienen que aparecer en el diccionario-base sino que pueden generarse por medio de las respectivas RFP's.

[tragaluz]: el significado de este compuesto no parece fácil de deducir de la suma de sus componentes. Algunos morfólogos consideran, en consecuencia, que palabras como ésta, aunque de estructura claramente compleja, deben figurar en la lista que está en la base del léxico. Sin embargo, esta solución no parece satisfactoria por otras razones: el hablante reconoce la estructura composicional de esta palabra; además, dicho compuesto no tiene propiedades fonológicas o sintácticas irregulares. Tiene, p.e., la misma estructura subordinante ($N'_{dev.}$ N) que otro compuesto, semánticamente transparente, como es *cortacésped*, y el mismo patrón acentual que cualquier compuesto regular de este tipo. Únicamente es el significado lo que resulta opaco o no estrictamente deducible de las partes constituyentes. Parece mejor solución, por todo ello, permitir que las palabras que salen del subcomponente de «formación de palabras» puedan adquirir, una vez formadas e introducidas en el léxico común, significados particulares o idiosincrásicos; entre otros, lo que en los diccionarios de uso se llama su «sentido figurado» que afecta a gran número de vocablos, tanto simples como complejos. La cuestión de la «desviación semántica», en sus distintas modalidades, es un fenómeno tan común a todas las piezas léxicas, formadas bien por derivación bien por composición, que habría que permitir que su significado no hubiera de deducirse exclusivamente de la concatenación de sus formantes; para ello, tendría que existir algún mecanismo de «vuelta atrás» dentro del componente morfológico que permitiera que las palabras complejas —derivadas o compuestas— que han desarrollado significados especiales adquirieran sus significados particulares en el diccionario-base, en lugar de relegarlas a una lista no-analizada del diccionario, como si de morfemas simples se tratara.

2.2. El estatuto de la morfología dentro de la gramática

Las disquisiciones acerca del rango y condición de la morfología son y han sido frecuentes en las distintas escuelas lingüísticas. Por un lado, se ha debatido si constituye un componente independiente o no y, por otro, cuáles son los asuntos que allí caben.

La morfología, para algunos, no tendría estatuto independiente, no sería un componente autónomo de la Gramática, y los asuntos que conciernen a la formación de palabras se repartirían entre la Lexicología, la Sintaxis y la Fonología.

La interferencia de la morfología con la sintaxis se da en relación con la unidad «palabra». En efecto, la palabra, además de constructo morfológico, es un primitivo de la sintaxis, en cuanto que representa una categoría sintáctica (N, V, A...) que es la base de expansiones o desarrollos sintácticos ulteriores (SN, SV, SA...). Pero hay aún otros puntos de interconexión; según algunos autores, la buena formación morfotáctica de la palabra compleja está determinada por principios genuinamente sintácticos, haciendo innecesaria la existencia de un componente especial, el morfológico, donde dar cuenta de este aspecto de la formación de palabras (cfr. Cap. 7).

Por otra parte, la palabra está constituida por una serie de unidades fonológicas que se combinan de determinadas maneras para formar una entidad fónica independiente y, en este sentido, la palabra es asimismo objeto de estudio de la fonología (vid. Matthews: 1980 para los distintos valores del término «palabra»). La pregunta que nos haremos en este sentido (cfr. Cap. 6) es si existe una fonología léxica, esto es, específica de la palabra, o si, por el contrario, son principios fonológicos generales los que determinan la buena formación fónica de las palabras, no existiendo, en consecuencia, diferencia, desde el punto de vista fonológico, entre la fonología léxica y la postléxica; de ser esto cierto, habría otra razón más para no considerar necesaria la inclusión en la Gramática de un componente morfológico autónomo.

En resumen, la explicación de que el estudio de la palabra se haya diseminado por los distintos componentes de la gramática radica en los distintos modos en que puede abordarse la entidad «palabra», a veces no convergentes en la misma unidad lingüística, y en la suposición de que los principios sintácticos y fonológicos que regulan su buena formación no son diferentes de los principios sintácticos y fonológicos generales.

Hay otro enfoque, sin embargo, que es el que vamos a presentar aquí, según el cual la morfología es un subcomponente autónomo, dentro del componente léxico, que trata de ciertos objetos morfológicos los cuales no han de identificarse ni con unidades de la sintaxis, ni con

31

elementos de una lista de diccionario, ni con unidades fonológicas (vid. Di Sciullo y Williams: 1987).

La palabra, en cuanto objeto morfológico, está constituida por una serie de agrupaciones de fonemas que componen una unidad: el *morfema*; en caso de unión de varios morfemas, hablamos de «palabra compleja»; ésta está dotada de una estructura o forma interna, como vimos en el Capítulo 1, y constituye el objeto de estudio de la morfología. En síntesis, la morfología se ocupará exclusivamente de las «formas de las palabras», ya se originen éstas por efecto de la flexión, la derivación o la composición, así que todas aquellas lenguas en las que las palabras no varíen de forma no tendrán, en sentido estricto, morfología.

Entendemos, consecuentemente, que la morfología no está repartida entre varios componentes sino que está en uno específico donde se analizan y estudian todas aquellas cuestiones que afectan a la forma de la palabra, ya sean morfotácticas, morfosemánticas o morfofonológicas, según trataremos de probar a lo largo de estas páginas. Como es ya tradicional, consideraremos dos aspectos de la palabra compleja claramente diferenciables: los que tienen relación con su *derivación* o *composición* para constituir una palabra a partir de otra u otras y los que atañen a su *flexión* o cambio formal por efectos de su declinación o conjugación. Esto es, la palabra *casa* cambia de forma tanto en virtud de su derivación en *casero* o de su composición con otra palabra en *casacuartel*, como por su flexión en *casas*. En otro sentido, en cambio, derivación y flexión son operaciones más próximas entre sí por cuanto que representan ambas un proceso de adjunción de un morfema afijal a una base, frente a la composición, que constituye un proceso de concatenación de dos o más morfemas radicales.

Sea cual sea la agrupación de estas partes de la morfología que se siga, lo cierto es que las formas mencionadas antes, «casero», «casacuartel» y «casas», son complejas desde el punto de vista morfológico y entendemos que, independientemente de cuál sea el origen que tenga o la función que adquiera en cada caso este cambio formal, son todas ellas objeto de estudio de la morfología en cuanto disciplina que trata de «las formas de las palabras».

2.3. Primitivos y unidades de análisis de la morfología

La morfología constituye, como hemos dicho, un componente autónomo que consta de sus propios primitivos o formantes, los cuales se identifican, en su mayor parte, con una terminología propia de este componente. Estos son: *palabra simple, tema, afijo, raíz.*

La *palabra simple* es la unidad morfológica superior, es una forma libre con independencia fonológica; en la terminología de la «X-Barra» (Chomsky: 1970), se representa como X^0. Corresponde a lo que Bloomfield (1933) denominaba «(simple) primary word» («palabra primaria (simple)»).

El *tema* es una forma ligada, una semi-palabra, que no contiene afijos flexivos y, por tanto, no está capacitada para actualizarse como palabra y poder insertarse en la estructura sintáctica, pero pertenece a la categoría X^0 pues puede formar palabras combinándose con algún afijo derivativo o por unión con otro tema o con una palabra (vid. Lieber: 1980) . A diferencia de los afijos, los temas no tienen marcos de subcategorización definidos, esto es, no están subcategorizados para una base léxica determinada. El tema es una categoría morfofonológica distinta de la palabra: constituye una base a la que se adjuntan afijos específicos y está sometida a reglas fonológicas también específicas (vid. Selkirk: 1982, 1984). Por ejemplo, esp. *-erte* es un tema que, mediante la prefijación de *in-*, puede constituir una palabra de la lengua: *inerte*. También *-filo-* puede considerarse un tema que puede formar palabra, por composición con otra palabra o con otro tema: *filarmonía* o *anglófilo*, respectivamente. Hay otro sentido de tema, más general, que define como tal cualquier palabra o base léxica a la que se le hayan restado los afijos flexivos; p.e., una palabra derivada como *niñ-era* se dice formada sobre el tema *niñ-*, desprovisto de flexión. En este sentido, tampoco es el tema una entidad que pueda insertarse directamente en la cadena sintagmática. Y hay aún otro sentido, más particular, de tema que lo identifica con la raíz verbal acompañada de la llamada «vocal temática». Diremos, p.e., que uno de los temas del verbo *obedecer* es $obedec+V_{\text{tem}}$, sobre el cual se ha formado el nominal *obedec**i**-miento* y que otro de sus temas es $obed+V_{\text{tem}}$, sin el sufijo *-ec*, sobre el que se han formado algunos otros derivados de este verbo, como son *obed**ie**-nte* y *obed**ie**-ncia*. La unidad morfológica «tema» es interesante para describir también otros derivados verbales, como son los adjetivos en *-ble*, los cuales no se unen directamente a la raíz verbal sino al tema verbal, esto es, a la raíz más su «vocal temática», permitiendo así realizar una triple clasificación formal de estos adjetivos : *salv**a**-ble* (1.ª conjugación, vocal temática *a*); *del**e**-ble* (ant.), *defend**i**-ble* (2.ª conjugación, vocal temática *e*/*i*); *sustitu**i**-ble* (3.ª conjugación, vocal temática *i*). El concepto de «tema» es igualmente interesante en español para describir la morfología flexiva verbal. Así, p.e., hablamos de «tema de presente», «tema de perfecto» y «tema de futuro», no solo en atención a la forma de la vocal temática que exhiben los distintos tiempos y modos, sino también como base de desinencias de persona y número específicas. Las tres interpretaciones de la unidad morfológica «tema» que acabamos de resumir comparten dos rasgos comunes: son formas ligadas que no están subcategorizadas y no llevan flexión.

Los *afijos* son también formas ligadas; han de soldarse obligatoriamente a una base que constituye su marco de subcategorización, la entidad léxica a la que se adjuntan; a diferencia de los temas, no pueden combinarse entre sí y producir palabras: *in+dad* → **indad, pre+ción* → **preción*... Contrariamente también a los temas, los afijos están especializados para una posición determinada y así, según sea su colocación con respecto a la base, se clasifican en *prefijos*: anteceden a la base («*en*-arbolar»); *sufijos*: se posponen a la base («casa-*ción*»); *infijos*: se colocan en el interior de la base-raíz («azuqu-*it*-ar»).

Por *raíz* se entiende la primera base, el elemento nuclear del que parte la primera operación morfológica; es una forma necesariamente ligada, portadora de la carga semántica de la palabra. Por ejemplo, de *detener* tenemos el derivado «radical» *deten-ción*, con el sufijo directamente adjuntado a la raíz verbal sin concurrencia de la vocal temática, junto al derivado «temático» *deten**i**-miento*, con presencia de la vocal temática. La unidad «raíz» es significativa, desde el punto de vista morfológico, no solo como un modo de caracterizar distintos procesos de afijación, sino por la propia entidad léxica que representa. Así, según sea la lengua que se estudia, será significativo hablar de raíces de tal o cual tipo. En una lengua como la inglesa, por ejemplo, se habla de raíces «latinas», las cuales permiten la adjunción de determinados sufijos como -*tion*, también de origen latino, frente a otras raíces «nativas», las cuales no pueden derivar palabras con dicho sufijo y se especializan para otros (vid. Aronoff: 1976). En español, por su parte, se han distinguido (vid. Alemany: 1920) las raíces del «tipo griego», que forman compuestos aglutinados con la vocal *o (fil-**ó**-sofo)* y las raíces del «tipo latino», que emplean la vocal *i* en su composición *(plen-**i**-lunio).*

Frente a las unidades que acabamos de presentar, diferenciadas según su rango y condición, hay que reconocer otra entidad morfológica, de carácter relacional, que es significativa en la descripción morfológica. Nos referimos al concepto de *base*, como elemento sobre el que se asienta la regla de formación de palabra. Base puede ser cualquiera de las unidades vistas anteriormente —salvo el afijo— o incluso una palabra compleja, derivada o compuesta; -*scribir* es la base de *pre-* para formar *pre-scribir*, pero *prescrip-* es la base de -*ción* para formar *prescrip-ción* y ésta, a su vez, es la base del diminutivo *prescripcion-cita* o del plural *prescripcion-es*. Gran parte de la polémica sobre la formación de palabras en estos últimos años ha girado en torno a cuál sea la unidad morfológica con la que se identifica la «base» de la que parten los procesos derivativos en las lenguas con morfología concatenante, como es la española. Así, para algunos, la base de creación de una nueva palabra es, en todos los casos, una palabra (P) más simple ([cal]$_P$ → [[cal]$_P$-ino]$_P$), si bien, en algunas lenguas, como las romances, consideran más apropiado hablar de tema (T), ya que las marcas flexivas de la palabra-base no forman parte de la nueva palabra ([niño/a]$_P$ → [[niñ]$_T$-ero/a]$_P$); para otros, por el contrario, la formación de palabras se hace sobre la base del morfema (ligado), de modo que una palabra como *comisión*, p.e., se habrá formado por la unión de los tres morfemas que contiene: *co-*, *-mis-* y *-ión* , según la particular combinatoria de cada uno, es decir, según sus propiedades distribucionales (vid. Aronoff: 1976 y Scalise: 1984 para una discusión pormenorizada sobre esta cuestión).

Las *reglas de combinación* de los primitivos o unidades básicas de la morfología que acabamos de presentar son específicas de este componente y contribuyen, asimismo, a conferirle su identidad propia. El elemento morfológico superior, la palabra flexionada, se obtiene mediante un sistema de reglas generativo basado en los primitivos examinados, de acuerdo con una combinatoria sintáctica específica de la morfología a la que nos referiremos en capítulos posteriores.

2.4. Rasgos propios de la palabra compleja

2.4.1. La noción de núcleo de palabra

El *núcleo* o cabeza de la construcción léxica no se determina, como en sintaxis, estructural o configuracionalmente, sino en relación con una determinada posición dentro de la secuencia lineal de la palabra. Consecuentemente, también en este caso, es preciso modificar el concepto de núcleo de la sintaxis. En sintaxis se dice que C^i es núcleo del constituyente C^j si satisface dos condiciones: i) llevar los mismos rasgos categoriales que C^j, y ii) que su nivel sea uno más bajo en la jerarquía de la «X-Barra» que el de C^j. Tal definición de núcleo no es válida para la morfología por varias razones; en primer lugar, los miembros de una palabra compleja como, p.e., el compuesto, son del mismo rango (=X^o) que el nudo superior o nudo-madre, como muestra la regla de (1):

(1)
N → A͡ N (Ex.:[[media]$_A$[noche]$_N$]$_N$);

En segundo lugar, puede ocurrir que los miembros de un compuesto sean de la misma categoría que el miembro superior, como pasa en (2):

(2)
$_N$[N͡ N]$_N$ (Ex.: «casacuna»).

Esta es la razón de que Williams (1981a) haya propuesto que el núcleo en morfología no se establezca por la convención general de la «X-Barra», sino por regla, enunciando, para el inglés, la llamada «Regla-del-Núcleo-a-la-derecha», según la cual el núcleo de una palabra morfológicamente compleja es el miembro más a la derecha de esa palabra. Esto es, el núcleo en morfología se define en base a la posición que ocupa un determinado constituyente dentro de la construcción mayor. En Selkirk (1982) se revisa esta regla y se propone una estipulación adicional: que el miembro más a la derecha de la construcción detente el mismo complejo de rasgos que la construcción mayor; así, según el esquema (3):

(3)

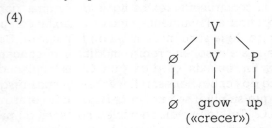

donde X representa un complejo de rasgos sintácticos y Q no representa una categoría con el complejo de rasgos X, X^m es el núcleo de X^n. P.e., en inglés hay gran número de verbos con una partícula incorporada donde el verbo, que está a la izquierda, es, sin embargo, el núcleo de la construcción compleja. Según la regla revisada de (3), la partícula no contará y se escogerá como núcleo la siguiente categoría más a la derecha con el mismo complejo de rasgos que el nudo superior, como muestra el ejemplo de (4):

(4)

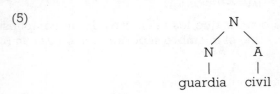

La regla del núcleo a la derecha no es universal y supuestamente estará sometida a variaciones según el tipo de lengua de que se trate. P.e., en español hay gran número de compuestos con núcleo a la izquierda, como el de (5):

(5)

N
/ \
N   A
| |
guardia civil

Independientemente de la existencia de variaciones, el concepto de núcleo en morfología, junto con la condición de buena formación que se conoce por «filtrado» —según la cual si un constituyente α es el núcleo de un constituyente β, α y β están asociados con un conjunto idéntico de rasgos—, es importante para la determinación de aquellos rasgos que se muestran relevantes en los procesos morfológicos de derivación, composición y flexión.

2.4.2. La palabra como «átomo sintáctico»

Esta particularidad se recoge en la «Hipótesis de la Integridad Léxica» propuesta en Chomsky (1970) de la cual se derivan varias consecuencias:

i) Las operaciones sintácticas no pueden acceder a la estructura interna creada por las operaciones morfológicas. Dicho de otra manera, las formas derivadas son opacas a la sintaxis. P.e., un pronombre («él») no puede tomar al nombre («Darwin») que está en la base de un derivado («darwinista») como su antecedente de modo que una oración como (6) es agramatical:

(6)
*Los nuevos *darwinistas* no están totalmente de acuerdo con *él*

Ni siquiera es esta pronominalización posible en el caso de los compuestos en cuya base puede haber palabras plenas, como demuestra la agramaticalidad de (7):

(7)
*Compré un [[*lava*][*platos*]] pero no *los* (=platos) lava bien

Por la misma razón, la de la «integridad» de la palabra, no es posible que una subparte de la palabra se realice como una «categoría vacía», recuperable mediante los mecanismos generales de la coordinación sintáctica, como muestra la oración, agramatical, de (8):

(8)
Compré un [[*lava*][*platos*]] y varios [[____][*frutas*]]

En el interior de una estructura morfológicamente bien formada no pueden existir huellas (h) de elementos desplazados, según regula el principio morfológico de (9):

(9)
$$* [\ldots h_i \ldots]$$
$$X^0$$

Otra muestra de que los principios sintácticos no rigen en el interior de la palabra compleja puede observarse en palabras prefijadas con el morfema *auto-* (p.e. en un nombre como *auto-destrucción*), al que no se aplican las mismas condiciones sintácticas que gobiernan el ligamiento de las anáforas a las que, en cambio, estaría sometido el sintagma pronominal «de sí mismo» por el que podría ser parafraseado («*auto-destrucción*» = «*destrucción de sí mismo*»).

ii) La palabra compleja no incorpora proyecciones máximas (SX), según establece el principio morfológico de (10):

(10)
$$* X^0$$
$$|$$
$$X^n, \text{ donde } n > 0$$
(esto es, no se puede incorporar SX en X^0; solo X^0, X^{-1} o Af)

Esta es la razón, p.e., de que un nombre compuesto como (11) sea una mala formación léxica en caso de que uno de sus constituyentes (el N «moscas») aparezca con determinantes:

(11)
[[mata][(*las/unas/esas)moscas]]

En consecuencia, los elementos dentro de la palabra compleja no podrán tener referencia definida (vid. Sproat: 1985) ya que son las proyecciones máximas (SN, no N) las que pueden expresar la referencia definida al contener el nudo «especificador» donde se realiza el determinante.

Por la misma razón, se explica que los verbos incrustados en palabras compuestas no señalen tiempo:

(12)
[[*mató/mataba][moscas]]

La categoría verbal que aparece dentro del compuesto («mató», «mataba») no se corresponde con el nudo SInfl(exivo), esto es, no contiene Inflexión, que es lo que permite la unión de V al mundo temporal, ya que —como se ha dicho— el compuesto no incorpora sintagmas.

iii) Se ha propuesto (vid. Baker: 1988a) una condición sobre las estructuras vocabulares superficiales , que traduciremos por «filtro del afijo suelto», que marca como malas todas aquellas formaciones en las que aparezca un morfema aislado; esto es, *X si X es un elemento léxico cuyo marco de subcategorización morfológico no se satisface en la estructura-S. Tal filtro se extiende no solo a los afijos, necesariamente ligados a una base léxica, sino también a los constituyentes de un compuesto que necesitan satisfacer su estructura argumental en el interior de la construcción léxica (cfr. Cap. 6).

2.5. Representaciones morfológicas

La mayoría de los procesos morfológicos que tienen lugar en la lengua española son de carácter concatenante, esto es, los afijos se adjuntan a una base de uno en uno, por estratos o capas estructurales. En este proceso de concatenación, los constituyentes que se añaden toman en cuenta —como ya se ha dicho en el capítulo anterior— la base a la que se unen y, a su vez, en el estrato siguiente, serán tomados en cuenta por el nuevo morfema o constituyente morfológico añadido.

La afijación, en consecuencia, consiste en un *proceso cíclico* que procede de dentro a fuera, según un orden establecido (vid. Baker: 1985), tal como ilustra el ejemplo de (14):

(14)
$_6[\,_5[\,_4[\,_3[trans\,_2[\,_1[forma]_N\,]_V\,]_V\,cion]_N\,al]_A\,mente]_{Adv}$

Dejando aparte algunos casos de procesos morfológicos que podríamos considerar no-concatenantes a los que nos referiremos en el capítulo 4 y aceptando que, en los procesos morfológicos concatenantes, el curso que sigue la formación léxica es el que acabamos de resumir, será necesario que cada morfema adjuntado se vea acompañado de cierta información relevante como es:

i) A qué base se añade.
ii) Cuál es el orden y la posición de dicho morfema con relación a la raíz de la palabra y/o con relación a otros morfemas adjuntados.

iii)   Cuáles son las propiedades de la pieza morfológicamente compleja que resulta de la adjunción de tal morfema.

Dentro de la teoría morfológica generativista, esta información se ha representado básicamente de dos maneras diferentes. Por una parte, quienes consideran que los morfemas adjuntados son elementos de relación incorporan la información necesaria en la propia regla que introduce el morfema en cuestión. Por otra parte, quienes consideran que los morfemas se caracterizan mejor como unidades lingüísticas con entidad categorial propia añaden la información pertinente a la entrada léxica de cada morfema, ya sea éste temático, radical o afijal. Examinaremos varias propuestas, con contenidos y consecuencias diferentes, dentro de cada uno de estos dos enfoques alternativos.

2.5.1.   La adjunción de morfemas como regla

Dentro de esta interpretación, hay, al menos, dos modelos diferentes.

2.5.1.1.   Las reglas de formación de palabras
(vid. Aronoff: 1976 y Scalise: 1984)

Son reglas del componente léxico que operan sobre palabras o temas léxicos, introduciendo cierto material léxico, como son los afijos, o poniendo en relación palabras o temas del diccionario-base, en el caso de la composición, para producir nuevas palabras. En estas reglas se especifica toda la información idiosincrásica que se incluye para los morfemas simples en las entradas léxicas pertinentes. Esto es, tales reglas hacen referencia a propiedades sintácticas, semánticas, fonológicas y específicamente morfológicas, tanto de los morfemas adjuntados como de las propias bases a las que éstos se adjuntan y construyen nuevas piezas léxicas totalmente especificadas. Son, por lo tanto, reglas sensibles al contexto que tienen la siguiente forma canónica:

(15)
insértese Σ en el contexto [Y ___ Z]$_X$

P.e., *escritor* se derivará de *escribir* mediante la regla:

(16)
insértese *-tor* en el contexto [V ___]$_N$

El conjunto de reglas de formación de palabras tiene como objetivo determinar el tipo de relación entre un afijo y su base, en el caso de la derivación, o entre dos temas o palabras, en el de la composición, y, a la par, es un medio de explicitar la conexión entre palabras formalmente emparentadas (cfr. Cap. 1).

De la necesidad de hacer mención, en la operación morfológica de concatenación, tanto del elemento adjuntado como de la base a la que éste se adjunta, se deriva el hecho de que los morfemas se conciban como reglas, como elementos de relación, y no como unidades con contenido propio.

Veamos esto con un ejemplo: el morfema *-ata* del español no tiene, en principio, una entidad propia; de su unión a bases nominales deverbales, con un contenido común que podríamos describir como «actividad que transcurre a lo largo de cierto tiempo», podremos derivar nombres como *viajata, cenata* o *caminata*, con una acepción compartida de carácter aumentativo, que hace mención de un proceso largo o de un contenido abundante, copioso. Sin embargo, adjuntado a bases adjetivales, el sufijo *-ata* puede producir otro tipo de palabras bien distinto: adjetivos con valor despectivo como *niñata, cegata* o *chivata*. Este tipo de *-ata*, además de las diferencias morfosintácticas y morfosemánticas que presenta en relación a la otra manifestación descrita anteriormente, está sometido a moción de género («niñato», «cegato»...), no así el otro (*«caminato», *«cenato»...). Con todo, este rasgo no es suficiente para dotar de identidad propia al sufijo en cuestión ya que hay otras palabras formadas con *-ata*, y también con cambio al género masculino, que, sin embargo, no pueden identificarse con «cegata», «niñata»...; éstas son: *candidata, literata* o *innata*. Tales adjetivos, de origen participial, están relacionados con otras formas, de carácter culto; en *-acta*: *intacta, autodidacta*...; en *-ecta*: *imperfecta, reelecta*..., y en *-icta*: *drogadicta, restricta*... Además, desde el punto de vista semántico, tampoco son estos adjetivos equiparables a las demás formas en *-ata* que hemos examinado antes.

El ejemplo que acabamos de tratar pone de manifiesto cómo las formas derivadas son, en definitiva, una *función* que se deriva de la relación particular que se establece entre un morfema X y una base Y según la elección que se haga de determinados valores de uno y otra. En este sentido, la concepción del morfema adjuntado como una regla que pone en relación dos elementos parece ser descriptivamente adecuada. Por otra parte, el formato de regla permite abordar, mediante un mismo procedimiento, tanto la generación de nuevas palabras como la descripción de aquellas otras de estructura compleja ya existentes.

2.5.1.2. Las reglas morfológicas como transformación
(Roeper y Siegel: 1978)

Es éste otro modelo que interpreta la operación morfológica como una regla. Ha sido aplicado fundamentalmente a los compuestos del tipo del inglés:

(17)
[make]$_V$ [coffee]$_N$ → [coffee maker]$_N$
(lit. [hacer] [café] → [café hacedor])

La transformación morfológica, por la que se crearía la palabra compuesta y derivada *coffee maker*, adjuntará a la izquierda del verbo (*make*) el primer nudo hermano (*coffee*), afijándole, a la vez, el sufijo *-er*. Según los seguidores de este enfoque, esta regla representa, en el léxico, lo que en sintaxis es la regla «muévase-α» (vid. Chomsky:1981). Basándose en Wasow (1977), según el cual las reglas cuyo dominio se define estructuralmente —aquí, p.e., la mención del «primer nudo hermano» es una estipulación estructural—, y no temáticamente, son transformacionales, y no léxicas, Roeper y Siegel (op.cit.) hablan de «transformación léxica», denominación aparentemente contradictoria pero con la que se pretende caracterizar unas reglas léxicas que toman en cuenta información estructural o configuracional y no información de carácter semántico. Hablaremos sobre este modelo y sus desarrollos posteriores con más detenimiento en el Capítulo 7.

2.5.2. Los morfemas como entidades categoriales

Dentro de este enfoque, se han desarrollado también dos modelos diferentes si bien complementarios. Un modelo que dota a cada morfema, incluso afijal, de su entrada léxica correspondiente y lo inserta en el lugar correspondiente de acuerdo con su marco de subcategorización y otro que concibe los elementos morfemáticos como elementos semejantes a los sintagmáticos, desde el punto de vista estructural, y, por tanto, los desarrolla mediante reglas de estructura sintagmática.

2.5.2.1. Todos los morfemas se insertan en el léxico con su entrada léxica correspondiente (Lieber: 1980)

En esta teoría, todos los morfemas, ya sean palabras, temas o afijos, se consideran elementos léxicos con su entrada léxica propia donde se incluye información sobre su categoría y subcategorización, su representación semántica y estructura argumental, así como especificaciones idiosincrásicas de diverso tipo. Los afijos no se diferenciarán de las palabras o temas más que por el hecho de que están subcategorizados obligatoriamente, esto es, lo que el estructuralismo recoge con los términos morfema «ligado» o «trabado» frente a morfema «libre».

Según esta interpretación, en el lexicón existen estructuras léxicas sin etiquetar, en forma de nudos arbóreos, donde se insertan los elementos léxicos de acuerdo con su marco de subcategorización. Así, p.e., el sufijo español -ción aparecerá en el léxico categorizado como [+N] y subcategorizado como [___]$_{[+V]}$ y compondrá la estructura de (18):

(18)

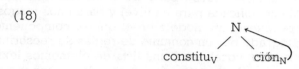

La estructura jerárquica que se forma y la categoría del nudo dominante vienen determinadas por el «filtrado de rasgos» del núcleo (el sufijo -ción) los cuales se copian en el nudo dominante, según quiere reflejar la flecha del esquema (18). Lieber (op.cit.) ha propuesto cuatro «convenciones de filtrado» para obtener los resultados correctos tanto en las palabras sufijadas como en las prefijadas o compuestas.

El modelo que acabamos de presentar tiene la ventaja de ser simple y de permitir unificar el tratamiento de la composición y la derivación, esto es, el de formas libres y formas ligadas, ambas sometidas a procesos de concatenación que en los modelos reglares no se podían describir de manera uniforme (Kiparsky: 1982). Tiene, asimismo, la ventaja —frente a los modelos anteriores— de que toda información idiosincrásica, ya sea pertinente al morfema radical ya al afijal, se concentra en la base del lexicón. El que los afijos se conciban como cualquier otro elemento léxico da respuesta, por otra parte, al hecho de que el proceso de afijación no se atenga a una ordenación extrínseca, sino intrínseca; esto es, el único factor que determina la aplicación de un determinado afijo a una base es la información contenida en la entrada léxica de dicho afijo. Si la ordenación de los afijos fuera extrínseca, es decir, fijada independientemente de la descripción estructural de cada regla de afijación, no podríamos explicar por qué en (19a.) el sufijo -al aparece antes de -ción, pero en (19a') el orden se invierte; ni por qué los sufijos -al e -ismo se ordenan correlativamente de cualquiera de las dos maneras posibles (19b y 19b'):

(19)
a.   nacion-*al*-iza-*ción*   b.   fat-*al*-ismo
a'. constitu-*cion*-al   b'. baut-*ism*-al

2.5.2.2. Los morfemas son entidades formalmente idénticas a las sintácticas (Selkirk: 1982)

La idea, expresada por primera vez en Jackendoff (1975) y desarrollada extensamente en Selkirk (1982), es que la estructura de la palabra compleja tiene la forma de un marcador sintagmático que indica las relaciones constitutivas entre los morfemas que la componen. Concretamente, para Selkirk, las reglas de formación de palabras deben entenderse como la versión léxica de la «X-Barra» de las reglas de estructura sintagmática. Como se recordará, la notación de la «X-Barra», introducida inicialmente en Chomsky (1970), parte de la idea de que toda categoría sintáctica está especificada para un nivel y para unos rasgos.

Selkirk (op.cit.) ha propuesto un modelo en el que el componente morfológico aparece integrado por un conjunto de reglas de reescritura (= las reglas de estructura vocabular), una lista de elementos léxicos, donde se encuentran los afijos y otras formas ligadas, y una transformación de inserción morfoléxica. Cada lengua tendrá una gramática de estructura vocabular específica la cual, no obstante, se pliega a ciertos principios generales que regulan las estructuras vocabulares posibles en la lengua. Selkirk sostiene que las categorías sintácticas vocabulares, esto es, las morfológicas, son entidades formalmente idénticas a las categorías sintácticas y que todas las categorías morfológicas, ya sean del nivel de Palabra o inferiores, están en la jerarquía «X-Barra». La palabra se definiría como la categoría de tipo X^0, el tema X^{-1}, la raíz X^{-2}, y los afijos X^{af} (son los únicos no ordenados en la jerarquía). Si bien considera esta autora que la sintaxis vocabular está, al igual que la oracional, organizada en niveles, contrariamente a la sintaxis, una categoría inferior en la jerarquía no puede dominar una superior. Por ejemplo, no es posible introducir una palabra bajo el nivel raíz o afijo.

Para que la teoría de la «X-Barra» pueda aplicarse al nivel vocabular, es preciso suponer que la palabra tiene, al igual que las construcciones sintácticas, un núcleo o cabeza, tal como se ha argumentado en el apartado 4.1. Esto es lo esperable en las palabras complejas, según Selkirk: que sean, por lo general, construcciones endocéntricas. Sin embargo, también en este caso es preciso modificar el concepto de núcleo de la sintaxis, como se ha razonado en el apartado anterior.

Veamos algunos ejemplos de reglas de reescritura que, siguiendo la propuesta de Selkirk (op.cit.), podríamos postular para ciertos compuestos endocéntricos del español:

(20)

$$N \rightarrow \begin{Bmatrix} N \\ A \\ Prep \end{Bmatrix} N \quad ; \quad \text{Ejs.} \quad \begin{array}{l} N \frown N = \text{«casacuartel»} \\ A \frown N = \text{«mediodía»} \\ Prep \frown N = \text{«sobredosis»} \end{array}$$

44

(21)

$$A \rightarrow \begin{Bmatrix} A \\ N \\ Prep \end{Bmatrix} A \quad ; \quad \text{Ejs.} \quad \begin{matrix} A\frown A & = \text{«agridulce»} \\ N\frown A & = \text{«paticorto»} \\ Prep\frown A & = \text{«antediluviano»} \end{matrix}$$

(22)

$$V \rightarrow \begin{Bmatrix} Adv \\ Prep \\ N \end{Bmatrix} V \quad ; \quad \text{Ejs.} \quad \begin{matrix} Adv\frown V & = \text{«maldecir»} \\ Prep\frown V & = \text{«contraindicar»} \\ N\frown V & = \text{«manuscribir»} \end{matrix}$$

2.6. Modelos de organización

La gran mayoría de las teorías morfológicas actuales parten de la idea de que las operaciones morfológicas (afijación y composición) pueden tener lugar en diferentes puntos del componente morfológico, en diferentes *niveles* o *estratos* (cfr. la diferenciación entre sufijación «primaria» y «secundaria» de Bloomfield, op.cit.). Según esto, se han propuesto varios modelos que organizan el componente morfológico en dos sentidos:

a) Según los módulos que lo componen: Derivación, Composición y Flexión.
b) Según el orden relativo de los afijos dentro de cada módulo.

Siegel (1974) fue quien primero aplicó esta idea de la ordenación en niveles a la morfología, si bien ya antes se había observado (vid. Chomsky y Halle: 1968) cómo las reglas cíclicas del acento se aplicaban por estratos o niveles, tras cada afijación:

(23)
[bón] → [bon+dád] → [bondad+óso] → [bondadosa+ménte]

También, desde la obra de Chomsky y Halle mencionada, se reconocen en Fonología Generativa al menos dos tipos de *lindes* que tienen clara repercusión morfológica; no solo actúan como meros operadores de concatenación sino que se consideran básicos en la distinción de tipos de afijos y en la determinación del acento de la palabra resultante tras la afijación. Igualmente, marcan la unión de los afijos, en unos casos a temas, en otros a palabras, y, por añadidura, pueden afectar fónicamente de maneras distintas a los morfemas concatenados. Parece probado que los dos tipos de lindes son reconocibles tanto entre prefijo y base como entre base y sufijo. Uno de ellos es el *linde de morfema* (+); el otro es el *linde de palabra* (#).

Siegel (op.cit.) se basó en estos dos tipos de lindes para ordenar la morfología derivativa en atención a la distribución de sus afijos. Los afijos introducidos con el linde + se denominaron *Afijos de Clase I* y los introducidos con el linde #, *Afijos de Clase II*. Las ordenaciones posibles son las siguientes

(24)
Clase I ⌒ Clase II...;   Clase I ⌒ Clase I...;
Clase II ⌒ Clase II...

Por el contrario, (25) supone una ordenación inadmisible:

(25)
* Clase II ⌒ Clase I

Es decir, si los afijos de Clase II aparecen en capas estructurales más internas que los de Clase I, la formación léxica no puede resultar buena, como muestran los ejemplos de (26a) y (26b):

(26)
a.   esp. *caballer-osϕ_{II}-ía$_I$ (frente a:caballer-osϕ_{II}-idad$_{II}$)
b.   ing. *bounti-full$_{II}$-ity$_I$ (frente a: bounti-ful$_{II}$-ness$_{II}$)
                              («liberalidad»)

Además, los afijos de Clase I y Clase II tienen las características intrínsecas siguientes (pondremos ejemplos del español aunque carecemos de estudios detallados que corroboren esta distinción):

Afijos de Clase I: Son afijos que determinan el acento de la palabra derivada; o bien reciben ellos mismos el acento de la palabra , caso de +*ía*: *alégre* → *alegr-ía*, o bien arrastran el acento a un lugar fijo de la palabra, como es el caso de +*ico*: *telégrafo* → *telegráf-ico* . Se unen a temas, además de a palabras: *sacrist*+*ía, a*+*scender, lóg*+*ico*, y, como hemos dicho, están asociados al linde de morfema +.

Afijos de Clase II: Entre sus rasgos más relevantes, está el hecho de que son indiferentes al acento, esto es, la adición de un afijo de esta clase a la base lexemática no repercute en la acentuación de la palabra derivada: *contá-r* → *contá#ble*. Por otra parte, no se unen a temas sino solo a palabras, esto es, a bases léxicas que tienen ralización con independencia del afijo en cuestión: **feri#ble* (pero: *diferi#ble*); **scendi#ble* (pero: *ascendi#ble*). Estas particularidades se indican usando el linde de palabra # que se introduce siempre delante y detrás de cualquier sarta fonológica que componga una categoría léxica, es decir, cualquier sarta dominada por N, A, V, Adv, o Prep en la estructura sintáctica superficial.

Los dos tipos de afijos tienen, además, la particularidad de que se comportan, desde el punto de vista fónico, de distinta manera con respecto a los fonemas en los lindes de la base a la que se añaden. Así, Chomsky y Halle (1968) reconocen en inglés dos tipos de afijos en -*y*; uno de clase I, asociado al linde +, que afecta a todas las consonantes dentales finales haciendo que se conviertan en sibilantes: *democrat+y* → *democracy* («democracia»), y un segundo de clase II, asociado al linde de palabra #, que respeta la forma fónica de la base: *chocolat#y* → *chocolaty* («de o semejante al chocolate»), *brat#y* → *bratty* («propio de un mocoso»).

Otro modelo que se atiene a la organización en niveles, si bien prescindiendo de los lindes mencionados antes, es el de la llamada «Morfología y Fonología Léxicas», teoría desarrollada por Kiparsky (1982) y Mohanan (1982), principalmente. Como este modelo es un entramado de reglas morfológicas y fonológicas que se ordenan por bloques actuando entremezcladas en cada uno de los estratos o niveles definidos y, por lo tanto, incide plenamente en el asunto de la relación entre Morfología y Fonología, se examinará con detenimiento en el capítulo 6, que trata específicamente de este tema. Diremos únicamente que en este modelo, descartados los lindes, solo se consideran los niveles o estratos en los que se realizan las distintas operaciones morfológicas, como pueda ser la adjunción de un determinado afijo. El número y la constitución interna de cada nivel variarán presumiblemente de lengua a lengua pero se cumplirá siempre la misma restricción que impide que una operación morfológica de un nivel posterior se aplique antes que otra de un nivel anterior.

Veamos esto con algún ejemplo. En inglés (vid. Kiparsky, op.cit.), se pueden formar verbos a partir de ciertos nombres derivados: *to pressure* («presionar»), *to comission* («encargar»), *to compound* («componer»), etc. Otras derivaciones son, por el contrario, imposibles: **to singer*, **to alcoholism*... En el primer caso, se trata de nombres con derivación en el nivel I (o afijos de clase I); en el segundo, los nombres se han formado en el nivel II. Aparentemente, la derivación N → V no se puede aplicar a formas sufijadas en el mismo nivel, pero sí a aquellas que pertenecen a un nivel anterior, según muestra el cuadro de (27):

(27)

	[press]$_V$	[sing]$_V$
NIVEL I der.nom.	[[press]$_V$ ure]$_N$	————
NIVEL II der.nom. der.verb.	———— [[pressure]$_N$ $\emptyset$]$_V$	[[sing]$_V$ er]$_N$ *[[singer]$_N$ $\emptyset$]$_V$

Del mismo modo que las reglas fonológicas pueden tener como marco de actuación más de un nivel (cfr. Cap. 6), un mismo morfema puede también adjuntarse en más de un nivel con distintas consecuencias en cada situación. Este podría ser el caso del español *gobernamiento*, usado antiguamente por *gobierno*, nombre con dos acepciones: *a*) el organismo que gobierna (nivel I), y *b*) el acto, la acción de gobernar (nivel II). En la primera acepción, permite la afijación del sufijo adjetival -*al*: gubernament]$_I$ al]$_I$, con ciertos cambios fónicos, como es lo esperado. En la segunda acepción, ha sido sustituido por el sufijo de acción más productivo en el español moderno: -*ción*, el cual no permite un afijo como -*al*, de un nivel anterior: *gobernacion]$_{II}$ al]$_I$.

En todos los modelos de morfología ordenada en niveles, además de proponerse una clasificación de los afijos según el orden en que se concatenan a la base, se postula, a la vez, una ordenación de los módulos que integran el componente morfológico.

Con alguna matización, a la que nos referiremos inmediatamente después, todos los modelos que asumen la ordenación de la morfología por niveles suponen que el orden relativo de los módulos es:

(28)
Derivación → Composición → Flexión

con la posible separación, en lenguas como las románicas, de la afijación apreciativa (diminutivos, aumentativos, despectivos) tras las reglas de formación de palabras (Derivación y Composición) y antes de las flexivas (vid. Scalise: 1984).

Tal ordenamiento refleja, en esencia, la secuencia preferente —si bien no exenta de excepciones— que muestran los procesos de afijación y composición en la morfología de las lenguas naturales. Así, en (29) tenemos un derivado sufijal (*bombardero*) el cual se adjunta a otro temático (*caza*) para formar un compuesto (*cazabombardero*), flexionado en el último nivel:

(29)

	[caz-]$_V$	[bomba]$_N$
Derivación	[[caz]a]$_N$	[[bomb]arda]$_N$
Derivación	———	[[bombard]ero]$_N$
Composición	[[caza] [bombardero]]$_N$	
Flexión	[[cazabombardero] s]$_N$	

A veces, sin embargo, la flexión precede a la composición. La explicación de Kiparsky (op.cit.), referida al inglés, es que, en tales casos, estamos ante excepciones que solo contienen casos de morfología flexiva no regular, como en: **teeth** *marks* (lit. «señales de los dientes») o **lice**-*infested* (lit. «infestado de pulgas») pero que no hay casos con morfología regular (esto es, P + -s), como serían los de: **claws marks* (lit. «señales de garras») o **rats-infested* (lit. «infestado de ratas»). De ahí que este autor proponga, para la morfología léxica del inglés, otra ordenación algo más compleja en lo que se refiere a la interrelación entre flexión y composición, como es la que aparece en (30):

(30)
Nivel 1: flexión irregular
Nivel 2: composición
Nivel 3: flexión regular

Todos estos modelos han sido criticados en varios aspectos: fundamentalmente, porque no permiten encajar todos los casos observados en las distintas lenguas y obligan a «vueltas atrás» en la ordenación canónica. Así, en español, además del compuesto del ejemplo (29), con derivación de los constituyentes interna al compuesto, hay casos de ejemplos como el de (31), con derivación externa, esto es, con derivación aplicada después de la formación del compuesto, lo cual supone que habría que permitir que, tras el nivel de la composición, la palabra volviera a un nivel anterior, el de la derivación, para poder recibir allí el afijo correspondiente:

(31)
[[[pica] [pedr]] ero] = «el que pica piedras», no
      N   N   *«el que pica pedrero»

En otros casos, observamos que la ordenación generalmente asumida no puede mantenerse por mostrar la palabra compuesta marcas flexivas internas (aparentemente, no irregulares como era el caso del inglés); esto es, marcas flexivas de un nivel anterior al de la composición, además de las marcas flexivas externas que predice la ordenación en niveles (cfr. Cap. 5). Así, en el ejemplo que sigue:

(32)
a. [[sord**o**]$_A$ [mud]$_A$ **o/a**]$_A$
      (flex.int.)   (flex.ext.)
b. [[alt**a**]$_A$ [voc]$_N$ **es**]$_N$
      (flex.int.)   (flex.ext.)

Algunos autores, considerando que la flexión está, en la mayoría de los casos, íntimamente relacionada con la sintaxis, sostienen que no debe identificarse con los procesos de formación de palabras (derivación y composición) y, en consecuencia, que no resulta adecuado introducirla entre ellos dentro de un modelo de ordenación morfológica. Esta última observación es la que prevalece en otro modelo morfológico actual, el de *Palabra y Paradigma Ampliado*, desarrollado en Anderson (1977, 1982, 1988b), en el cual se supone que la flexión constituye un componente propio con sus principios específicos, transparente para la sintaxis, de modo que, contrariamente a lo que ocurre con la derivación o la composición (cfr. 4.2), las reglas de la sintaxis pueden «ver» y manipular los rasgos flexivos. A pesar del interés de este modelo, no es tan aceptado como aquellos que suponen una ordenación por niveles y, en consecuencia, no nos extenderemos más en su presentación aunque, más adelante, volveremos a hablar del especial estatuto de la flexión dentro del componente léxico (Cap. 4) y de su relación con la sintaxis (Cap. 7).

3.
La estructura de la palabra compleja. El análisis morfológico: Segmentación y clasificación de los morfemas

Como dijimos en el Capítulo 1, el sistema de formación de palabras propio de una lengua como la española adjunta los morfemas uno a uno en orden lineal, componiendo, al hacerlo, una estructura donde unos elementos están en capas más internas o inferiores y otros en capas más externas o superiores, esto es, con arreglo a una jerarquía.

En lenguas como la española, donde los morfemas de las palabras se concatenan en orden lineal y se disponen en niveles jerárquicos diferentes, al modo de los constituyentes de una oración, hablamos de morfología «configuracional» (vid. Lieber: 1988). Este término está tomado de la sintaxis donde por lengua «configuracional» se entiende aquella donde las funciones gramaticales están representadas en términos de las estructuras formales de la oración. Así, en el tipo de morfología llamada «configuracional» no solo es posible aislar los morfemas que constituyen una palabra sino también asignarles marcos de subcategorización que fijan la posición de tales morfemas en la estructura vocabular.

En la primera parte de este capítulo (3.1) trataremos de los asuntos de mayor importancia que se derivan de la existencia de una morfología de tipo configuracional, comenzando por los modos en que se determina la representación estructural de la palabra (3.1.1.) y siguiendo con aquellos casos en que la estructura formal está en desacuerdo con la interpretación semántica o los condicionamientos fónicos («paradojas de encorchetamiento») (3.1.2.), para terminar con una discusión de la configuración vocabular: ramificaciones binarias u otras representaciones de la estructura léxica (3.1.3.).

En la segunda parte del capítulo (3.2), trataremos de algunos de los problemas que entraña la segmentación morfológica (3.2.1.) así como de la agrupación y clasificación de los alomorfos (3.2.2.).

3.1. Sobre la estructura

3.1.1. Fijación de la estructura de la palabra

Para determinar la representación estructural de una palabra compleja, se utilizan diversos parámetros que, en el caso ideal, deberían converger en una solución idéntica y única.

En el Capítulo 1, dijimos que los hablantes no solo son capaces de aislar los morfemas de las palabras de su lengua, sino que también pueden otorgarles lo que llamamos su «contexto», esto es, el lugar de inserción que les corresponde de acuerdo con sus posibilidades combinatorias. Así, los morfemas están contextualizados para una base en atención a (i) criterios sintácticos; (ii) criterios semánticos, y (iii) criterios puramente morfológicos. Estas características nos pueden ayudar a constituir un sistema ordenado de reglas que permitan no solo discernir los elementos que componen dicho sistema, los morfemas, sino también las relaciones entre los propios elementos, es decir, que permitan definir lo que se entiende por una estructura lingüística, la estructura de la palabra en este caso. Algo de esto se vio en el Cap. 1, pero discutiremos aquí algún ejemplo más para mostrar en qué sentido las consideraciones mencionadas nos permiten dotar a la palabra compleja de una estructura determinada, basada en la particular distribución de los morfemas que la componen.

(i) criterios sintácticos

Se refieren a los marcos de subcategorización de los morfemas, concretamente, a su distribución en atención a la categoría sintáctica de la base a la que se unen. Así, p.e., el adjetivo «impensado» tiene la estructura de (1):

(1)
[im [[pensa]$_V$ do]$_{PP/A}$]$_A$

52

El prefijo *in-*, con valor negativo puro, solo se adjunta a bases adjetivales, bien simples: *in-seguro*, *in-cierto*, *in-capaz*, bien derivadas: *intolerable*, *in-material*, *in-necesario*. Cuando aparece en nombres derivados, como, p.e. *informalidad*, es porque en la base de éstos existe un adjetivo («informal») y lo mismo ocurre en el caso de los adverbios: *intolerablemente*. La estructura correspondiente a esta última palabra es, en consecuencia, la que figura en (2):

(2)
[[in [[tolera]$_V$ ble]$_A$]$_A$ mente]$_{Adv}$

Otra cosa es el *in-* con valor privativo, semejante al prefijo *des-*, el cual puede unirse a nombres: *inseguridad*, *ineficacia*... o a verbos del tipo causativo: *insubordinar*, *incapacitar*... Efectivamente, este último verbo no significa «no capacitar» sino «decretar la falta de capacidad, quitar la capacitación». En el caso de verbos como éste, que permiten la adjunción del prefijo *in-*, los participios-adjetivo que derivan de ellos admiten una doble interpretación semántica. Así, *incapacitado* significa «el que ha sido incapacitado», como en la oración (3) en que funciona con valor de participio:

(3)
Ha sido incapacitado (por los jueces) para ejercer la abogacía

pero también puede entenderse como «el que es no capacitado», esto es, como la negación del adjetivo *capacitado*, según se desprende de una oración como:

(4)
Juan está incapacitado (*por SN) para correr debido a su cojera

El primer significado, en el que el prefijo privativo se une al lexema verbal, queda recogido en la estructura léxica de (5)a; el segundo , en la correspondiente a (5)b.:

(5)
a.   [[in [[capac]$_A$ ita]$_V$ ()$_V$] do]$_{PP/A}$
b.   [in [[[capac]$_A$ ita]$_V$ do]$_{PP/A}$]$_A$

Los casos en los que no se permite la forma *in...do* con el sintagma *por* SN, como en la oración de (4), el prefijo *in-* está en la capa estructural inmediatamente adyacente al sufijo adjetival *-do* (cfr. 5b.), de manera que la forma verbal subyacente resulta inaccesible al complemento agente. Esta es la razón de que muchos participios adjetivales en -do, cuyos verbos base carecen del prefijo privativo, no permitan la construcción pasiva cuando han sido prefijados con el negativo in-, esto es, cuando se categorizan como meros adjetivos, como se muestra en (6):

(6)
*Es inestimado por sus colegas (vs. «Es estimado por sus colegas»)

(ii) Criterios semánticos

Como ya dijimos en el Capítulo 1, a veces la interpretación semántica es la que nos guía en el establecimiento de la correcta estructura de una palabra compleja. P.e., en un adjetivo como *contrarrevolucionario*, los criterios de distribución basados en la subcategorización del prefijo *contra-* fallan ya que, como ocurre con la mayoría de los prefijos, éste puede agregarse a bases de cualquier categoría sintáctica: a nombres, como en *contraluz*, adjetivos, como en *contrachapado* o verbos, como en *contraponer*. No hay nada en su distribución, por tanto, que nos permita decidir si la segmentación adecuada es la que aparece en (7)a o la que aparece en (7)b:

(7)
a.   [contra [[rrevolucion]$_N$ario]$_A$]$_A$
b.   [[contra [rrevolucion]$_N$]$_N$ario]$_A$

No obstante, criterios semánticos pueden ayudar a resolver la particular representación estructural de esta palabra. Un *contrarrevolucionario* no es alguien que va en contra de un «revolucionario», como sugiere la segmentación de (7)a., sino un practicante o seguidor de la «contrarrevolución», como se recoge, adecuadamente, en la estructura de (7)b.

(iii) Criterios morfológicos

Otras maneras de establecer la estructura de la palabra, esta vez mediante una ordenación extrínseca, se han señalado en el Capítulo 2 cuando decíamos que, en atención a varios factores morfofonológicos y morfosintácticos, como los que hemos mencionado antes, era posible clasificar los morfemas afijales ya no individualmente sino en grandes bloques, a los que se denominaba de Clase I y de Clase II por relación al orden de incrustación en la estructura de la palabra.

También tenemos otra guía, más general, para establecer una ordenación jerárquica de los morfemas dentro de la palabra si nos fijamos en los módulos que integran el componente morfológico, pues ya se ha dicho (cfr. Cap. 2) cómo los morfemas derivativos preceden a los flexivos, que son los más altos en la jerarquía, y cómo, en líneas generales, los procesos de composición son posteriores a los derivativos.

Asimismo, la noción de palabra existente (en caso de que partamos de la idea de que toda base de una «regla de formación de palabras» es una palabra) nos suministra una guía para analizar una palabra compleja en las capas estructurales que contiene. Por ejemplo, los adverbios *deslucidamente* o *invariadamente* deben segmentarse: $[[des[lucida]_A]_A mente]_{Adv}$ e $[[in[variada]_A]_A mente]_{Adv}$, respectivamente, ya que, si aplicamos antes la prefijación que el sufijo *-mente*, nos encontraríamos con palabras inexistentes: *lucidamente, *variadamente. Así pues, el adverbio se forma sobre la forma negativa del adjetivo: *deslucida-*, *invariada-*. Sin embargo, en *inadecuadamente*, dado que existe *adecuadamente*, sería posible pensar que la prefijación negativa se adjunta en el último ciclo, por más que razones de otro orden (de subcategorización) nos inclinen a preferir la misma solución que en el caso anterior, esto es, el sufijo adverbial *-mente* unido a la forma negativa del adjetivo según la secuencia: *adecuada* → *inadecuada* → *inadecuadamente*. Para dar otro ejemplo de la relevancia del concepto de «palabra existente» en la formulación de las reglas de formación de palabras complejas, pensemos en un adjetivo como *inmovilizable*. En principio, podemos proponer las tres estructuras que figuran en (8) ya que en todos los casos suponemos pasos intermedios que se realizan como tales palabras en el léxico español:

(8)
a. $[[[in[movil]_A]_A iza]_V ble]_A$ = «que puede hacerse inmóvil»
b. $[[in[[movil]_A iza]_V]_V ble]_A$ = «que puede ser inmovilizado»
c. $[in[[[movil]_A iza]_V ble]]_A$ = «que no puede ser movilizado»

Sin embargo, en un adjetivo, aparentemente similar, como *incristalizable* no podremos proponer más que la estructura correspondiente a (8)c., esto es, $[in[[[cristal]iza]ble]]$, ya que no existen ni el nombre *incristal, ni el verbo *incristalizar.

3.1.2. Sobre los desajustes entre la estructura formal y la interpretación semántica

Es lo que se conoce en la producción morfológica como «paradojas de encorchetamiento», a las que se ha dedicado gran número de páginas. Dichas paradojas surgen en relación con la idea de la ordenación de la morfología en niveles, esto es, la generalización de que todos los afijos del nivel I se unen a la base antes de los de nivel II. Resulta que estructuras fijadas de acuerdo con este punto de vista morfofonológico y morfosintáctico no se corresponden o están, incluso, en contradicción total con la representación que se derivaría desde una perspectiva semántica. El ejemplo clásico es el nombre inglés: *ungrammaticality* = «agramaticalidad», formado por el sufijo *-ity*, de clase I (afijo unido a temas, con repercusión acentual), y por el prefijo *un-*, de clase II (afijo del nivel de la palabra, sin repercusión acentual), con la estructura:

(9)
[un[[grammatical]ity]$_I$]$_{II}$

Sin embargo, esta palabra no significa la «no-gramaticalidad», sino la «cualidad de lo no-gramatical», con lo cual el encorchetamiento adecuado desde el punto de vista semántico es:

(10)
[[un [grammatical]] ity]

Desde el punto de vista morfosintáctico, también es ésta la ordenación adecuada ya que *un-* se une productivamente a adjetivos (como *grammatical*) y no a nombres (como *grammaticality*) pero, en tal caso, rompemos la ordenación probada de estos dos afijos según la cual *-ity* (afijo de clase I) se adjunta en capas más internas de la palabra que *un-* (afijo de clase II).

Veamos otro ejemplo de «paradoja de encorchetamiento» donde es claramente el criterio fónico el que está en conflicto con el semántico.

El inglés tiene un sufijo comparativo *-er* que puede adjuntarse a adjetivos monosílabos (*black-er*) y a algunos bisílabos (*happi-er*), pero nunca a trisílabos (**important-er*). Según estos requisitos de orden fónico, la estructura de un adjetivo comparativo como ing. *unhappier* deberá ser la que figura en (11):

(11)
[un [[happy] er]]

No obstante, el significado de este adjetivo no es «no-más alegre», sino «más-no alegre» o «menos alegre», el cual sugiere la estructura alternativa:

(12)
[[un [happy]] er]

De aceptarse este encorchetamiento, sin embargo, quebrantaríamos la regla, aparentemente sin excepciones, según la cual -er no puede afijarse a adjetivos de más de dos sílabas ya que *unhappy* consta de tres.

Otro ejemplo que podríamos aducir para mostrar el desajuste entre la estructura morfológica y la interpretación semántica es el de un compuesto diminutivizado como el esp. *paragüitas*. Este nombre es de género masculino y, de acuerdo con las reglas que forman el diminutivo en español, debería haber recuperado la vocal canónica del género masculino al infijarse el diminutivo *-it*. Piénsese en casos como *mano* → *man-it-a*, *señalɸ* → *señal-it-a* o *jefe* → *jef-ec-it-o*. Siguiendo este patrón, hubiéramos esperado una formación como: *paragü-it-os* (y, de *cuentagotas*: *cuentagot-it-os*, o de *apagavelas*: *apagavel-it-os*, p.e.) Sin embargo, la manera en que se realiza el diminutivo está en función del segundo constituyente, femenino, del compuesto: *aguas* → *agü-it-as*, lo cual equivale a afirmar que el compuesto *paragüitas* debería interpretarse como «objeto que [para[pocas-aguas]]» y no como un «[[paraguas] pequeño]», que es, en cambio, la interpretación que todo hispanohablante otorgaría a esta formación.

A la vista de estos desajustes en la estructuración de la palabra compleja, Pesetsky (1985) planteó, en un importante trabajo, la necesidad de dotar a las palabras, como a las oraciones, de diferentes representaciones en diferentes componentes de la Gramática. Posteriormente, Sproat (1985) (1988) se ha manifestado en el mismo sentido proponiendo que la estructura de la palabra se distribuya en dos componentes: el (morfo)sintáctico y el (morfo)fonológico y que, por tanto, las palabras se representen con un par de encorchetamientos: uno sintáctico y otro fonológico. La estructura sintáctica estará expresada en la estructura-S y la fonológica en el componente de la forma fonológica (Chomsky: 1981). Asimismo, en otro importante trabajo (Marantz: 1988), se ha propuesto un mecanismo formal de «reestructuración», basado en la propiedad asociativa de ciertos procesos matemáticos, que permite pasar de la representación morfosintáctica a la morfofonológica en los casos de «paradojas», como la de los clíticos, los cuales son, sintácticamente, constituyentes independientes si bien se realizan, desde el punto de vista fonológico, como elementos afijales, soldados a la palabra principal.

3.1.3. Representaciones de la estructura vocabular

Hasta ahora hemos supuesto que los procesos de formación de palabras procedían adjuntando de uno en uno los morfemas de tal manera que se creaban estructuras bimembres; en el formato de representación arbórea, ramificaciones binarias como la que aparece en (13):

(13)

Sin embargo, en muchas lenguas, así el español, hay casos en que se origina una configuración de tres miembros, contradiciendo, en principio, la suposición de que la concatenación morfológica procede siempre del modo descrito en (13). Tal es el caso de los llamados «parasintéticos» del español, aquellas formaciones verbales o deverbales que se caracterizan por formarse mediante la aplicación simultánea de la prefijación y la sufijación , como en el ejemplo (14):

(14)

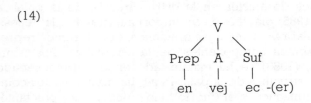

Decimos que los dos procesos de afijación se suponen simultáneos porque, efectivamente, no existen las piezas léxicas intermedias: ni «envejer», ni «vejecer» son palabras de la lengua. Por otra parte, aunque permitiéramos que las reglas de formación de palabras se aplicaran a palabras no existentes, pero posibles, no existen datos contundentes que nos permitan decidir qué dirección se sigue en la formación de una palabra como ésta, si a) *vej-* → *envej-* → *envejec-*, o si b) *vej-* → *vejec-* → *envejec-*. Independientemente del contratiempo que supone para una teoría restrictiva de la formación léxica tener que admitir palabras inexistentes en el proceso de derivación, desde el punto de vista de la subcategorización, parece preferible la segunda opción pues, de aceptarse la primera, estaríamos afirmando que el prefijo *en-* subcategoriza un adjetivo, cuando sabemos que este prefijo se agrega productivamente a verbos. La segunda solución está, asimismo, mejor fundamentada por cuanto que el sufijo *-ec-* se agrega a bases adjetivales, sin el concurso obligado de un prefijo, como en *oscur-ec-er*

o *palid-ec-er* (frente a *em-palid-ec-er*) pero pasa por alto, de nuevo, la estrecha vinculación que observamos en (14) entre prefijo y sufijo.

No obstante, en apoyo de la primera opción, podrían aducirse formas como *a-barat-ar* o *a-tont-ar* donde se crean verbos por la simple adjunción de un prefijo (*a-*) a la base adjetiva (*barato, tonto*) más la vocal temática (*-a-*); ahora bien, si se aceptara este análisis, estaríamos suponiendo que un prefijo puede cambiar la categoría sintáctica de la base, al convertir un adjetivo en un verbo, contrariamente a lo que es norma general en el resto de las formaciones; parece, por tanto, más plausible suponer que la vocal temática en estos segundos ejemplos es, en realidad, un afijo derivativo que cumple la misma función que pueda cumplir *-ec-* en *envejecer*. Por otra parte, esta vocal derivativa se puede combinar con otros prefijos para crear verbos: **en**-*fri-a-r* o, incluso, puede formar verbos sin la ayuda de prefijo alguno, ya sobre base nominal, ya sobre adjetival: *agu-**a**-r, sal-**a**-r, mejor-**a**-r*.

En (15), incluimos una lista de las formaciones parasintéticas más usuales del español:

(15)

a. deadjetivales: en . . . .
$\begin{cases} \text{ar} & \text{(en-dulz-ar)} \\ \text{ecer} & \text{(em-bell-ecer)} \end{cases}$

             a . . . . . ar   (a-grand-ar)

b. denominales: en . . . .
$\begin{cases} \text{ar} & \text{(em-polv-ar)} \\ \text{ecer} & \text{en-moh-ecer)} \\ \text{izar} & \text{(en-coler-izar)} \end{cases}$

             a . . . . .
$\begin{cases} \text{ar} & \text{(a-caramel-ar)} \\ \text{ecer} & \text{(a-tard-ecer)} \\ \text{izar} & \text{(a-terror-izar)} \end{cases}$

Por lo general, la mayoría de los autores que se han ocupado de estas construcciones de las lenguas románicas ha tratado de preservar lo que se conoce por «Hipótesis de la Ramificación Binaria», esto es, la suposición de que los procesos de concatenación morfológica componen estructuras bimembres. Para ello, se ha defendido, con argumentos más o menos convincentes, una de las dos soluciones lógicamente posibles (vid. Corbin: 1980, Scalise: 1984, Alcoba: 1987); incluso, se ha supuesto un morfema único, constituido por prefijo y sufijo y realizado, por tanto, en dos lugares distintos de la palabra, al modo de un morfema «discontinuo» (vid. Bosque: 1982). Ninguna de estas soluciones está exenta de problemas pero, dado que en lenguas como las románicas, son éstos los únicos casos de estructuras aparentemente ternarias, parecen preferibles a una solución que rechace la hipótesis del binarismo, bien corroborada por el resto de las construcciones morfológicas.

3.2. Sobre el análisis morfológico

3.2.1. Segmentación

Dos son los principios en los que se basa el análisis morfológico desde el estructuralismo: la aparición de determinadas secuencias de segmentos fónicos, los **morfemas**, en otras palabras, esto es, su capacidad de *recurrencia* y, por otra parte, la relación semántica que estos morfemas —dotados de valor semántico y/o gramatical— establezcan con la base a la que se adjuntan, de la que deriva su *motivación*. En estos dos principios —recurrencia y motivación— descansa, pues, el primer cometido que fijamos para el análisis morfológico, consistente en la segmentación de la palabra compleja (vid. Rodríguez Adrados: 1969).

En más de una ocasión, sin embargo, no está claro cuál sea la correcta segmentación morfológica de la palabra y, por tanto, la distribución de los morfemas. Hay que acudir a diversos razonamientos como los que aquí se presentan, a modo de ejemplo, basados en consideraciones de carácter fonológico. P.e., el verbo *prescribir* debe segmentarse: *pre-scrib-i-r* , a pesar de que deriva del simple *escrib-i-r*; la raíz es, en realidad, *scrib-*, como muestran otros derivados: *in-scribir*, *pro-scribir*... En el verbo simple, se ha aplicado la regla de prótesis vocálica:

(16)
$$\phi \rightarrow e \; / \; \#sC\_\_\_$$

En el caso de los verbos derivados con prefijo, el contexto no es el mismo: no aparece el linde de palabra (#) ante *sC* y, en consecuencia, la regla mencionada no se aplica, apareciendo la raíz pura.

Otro caso en el que podríamos esgrimir razones de índole fonológica es el de una palabra como *piececitos* donde caben dos posibles segmentaciones: a) *pi-ec-ec-it-o-s* o b) *pie-c-ec-it-os*. Los dos tipos de «aumento», *-c-* y *-ec-*, que aparecen ante el sufijo diminutivo están documentados en otras palabras; p.e. *joven-c-ito* y *mes-ec-ito*, respectivamente; luego, cualquiera de las dos segmentaciones tiene, en principio, fundamento. Por otra parte, es bien sabido que en español, cuando se adjunta un sufijo que comienza por vocal a una base que finaliza también en vocal, hay elisión de la vocal de la base: *casa → casǥ-ero*; en este sentido, parece que la segmentación recogida en (a) sería la correcta. Sin embargo, si estudiamos más atentamente las condiciones de cancelación vocálica en los casos de sufijación, podremos comprobar que ésta no se aplica en español cuando la vocal de la base está acentuada: *café → cafe-ína*; *lé → le-ísmo*; *esquí → esqui-ada*. La diferencia en el comportamiento de las vocales tónicas y átonas ante linde morfemático se puede observar muy claramente en el caso de los superlativos de adjetivos como *pío* o *frío* que hacen *pi-ísimo* y *fri-ísimo*, respectivamente, esto es, perdiendo solo la vocal átona de la base (*-o*), pero no la tónica (*-í-*), frente a adjetivos como *amplio* o *limpio* que pierden ambas (*-i-* y *-o*), al ser una y otra átonas, formando los superlativos: *ampl-ísimo* y *limp-ísimo*, respectivamente. Por todas estas razones de carácter fónico, la segmentación reproducida en *b*), en que aparecen los dos tipos de aumento que acompañan a las formas de diminutivo (por tratarse, en este caso, de un monosílabo), debe considerarse la correcta.

El caso del llamado vocabulario «culto» constituye un problema aparte en relación a la segmentación. Recuérdese que la creación de nuevas palabras no solo es fruto de la aplicación mecánica o inconsciente por parte del hablante de las posibilidades combinatorias de los morfemas de su lengua sino que también se crean palabras, por así decir, de «laboratorio»; éstas se someten a una norma que, en numerosas ocasiones y para lenguas como las románicas, tiene su base en el latín o el griego. En este tipo de voces, el recurso a la información histórica resulta entonces imprescindible a la hora de proceder a la separación de los morfemas constitutivos. Pensemos, p.e., en un nombre como esp. *propina*. Nos inclinamos a segmentarlo como *pro-pina*, debido a la aparición recurrente del prefijo *pro-* en otras muchas palabras de la lengua («prometer», «proseguir»...), a pesar de que, al proceder así, nos encontremos con una palabra inexistente: *pina*; esta palabra, formada sobre el verbo griego: *píno:* = «beber», muestra una de las posibilidades de neologismo léxico por vía culta; otras lenguas, como p.e. el francés, recurren en este caso a la traducción de cada una las partes del vocablo: *pour-boire*.

Otras veces, son las palabras de creación popular las que pueden resultar problemáticas para la segmentación morfológica. En estos casos, es frecuente que el neologismo se base en procedimientos completamente antietimológicos, como «falsos cortes» propiciados por una relación semántica de carácter asociativo. Este es el caso, p.e., de un nombre inventado por la publicidad, como *monoquini*, el cual parte del ya existente *biquini*; olvidado el origen de esta palabra (el atolón «Bikini»), se identifica la primera parte de la palabra con el prefijo latino *bi(s)-* = «dos», el cual se sustituye en el nuevo nombre por el prefijo griego *mono-* = «uno».

3.2.2. Clasificación de los morfemas

3.2.2.1. Modos de expresar las variaciones morfológicas

El segundo cometido que se plantea el análisis morfológico desde el estructuralismo -vigente aún hoy (vid. Foley: 1985), por más que la morfología no centre prioritariamente su investigación en tales cuestiones- es el de la clasificación de los morfemas, fundamentalmente, el de la agrupación de distintas formas relacionadas, o *alomorfos*, bajo un mismo morfema. Para este asunto de la determinación alomórfica, se han barajado dos datos esenciales: la *identidad semántica* de los presuntos alomorfos y su *proximidad fónica*.

En efecto, si bien hay que reconocer que el análisis de la estructura de la palabra ha recibido diversos enfoques en los estudios de gramática sincrónica, puede sin embargo reconocerse una parte común a todos ellos que resumiremos en la pretensión de conseguir clasificaciones de los formantes que aúnen identidad formal con igualdad de significado. No han faltado enfoques resueltamente mecanicistas que apenas han prestado atención al posible significado del morfema, preocupados sobre todo por la segmentación y posterior clasificación de las porciones de sonido separadas según su orden dentro de la secuencia lineal y la cantidad, mayor o menor, de carga léxica que posean. No interesan aquí ulteriores averiguaciones sobre la relación profunda entre dichas partes ni sobre las cuestiones dudosas tocantes a la equiparación entre determinados segmentos que presentan una forma parecida y en algunos casos, además, un significado semejante. En esta concepción de la morfología, la problemática consiste en decidir por dónde se hace el corte y a qué tipo morfológico se atribuye cada segmento. Pero, aparte de esta concepción más extrema, lo usual es hallar descripciones morfológicas que difieren principalmente en el punto de partida adoptado: la forma o el significado. Clasificaciones de los afijos que, partiendo de una identidad formal, precisan luego las distintas relaciones semánticas que éstos contraen en cada caso con la base a la que se agregan, como la que encontramos en Seco (1972), en el apartado de los prefijos: «*in-, im-, i-,* 'negación': *intocable, impago, irregular;* 'lugar en donde': *imponer*». Frente a éste, otros análisis morfológicos parten de una forma subyacente —receptáculo del supuesto significado común a los diversos alomorfos— y explican las variaciones en la forma por razones distribucionales, tal como ilustra el diagrama de (17) sobre el morfema sufijal -AL del español:

(17)

$$-AL \rightarrow \begin{cases} /ar/\ /\ \begin{Bmatrix}1\\ \lambda\end{Bmatrix}\ ((g)\ V)\ \underline{\quad} \\[2ex] /al/\ /\ resto \end{cases}$$

Ex. alga → algar
estrella → estrellar
luna → lunar

Ex. leche → lechal
junco → juncal

No obstante, estas clasificaciones que parten de una supuesta identidad significativa no pueden siempre explicar la variación formal en términos del contexto en que aparecen unas y otras variantes. Un ejemplo es el prefijo *sub-* al que se le reconoce (vid. Quilis: 1970) un alomorfo **/sub/**, en *subsuelo*, junto a otros como **/so/**, en *socavar*, **/sa/** en *sahumar*, **/ca/** en *chapodar*, **/θam/** en *zambullir*, **/su/** en *suponer* y **/son/** en *sonsacar*. El contexto —es evidente— no explica las variaciones alomórficas; por otro lado, el parecido entre algunas de ellas e, incluso, su relación semántica son tan remotos que solo la atención a un mismo origen genético puede justificar su reunión bajo un mismo morfema.

La disyuntiva sobre la primacía de la forma o el significado en la descripción morfológica ha dejado paso a otros criterios que hacen referencia a las regularidades estructurales observables tanto desde el punto de vista sintáctico como fónico o semántico.

Las consideraciones semánticas —como, por otra parte, en sintaxis— no pueden ser la base del análisis morfológico y, por lo tanto, no deben ser el punto de partida para la descripción de las relaciones entre las partes recurrentes de las palabras. Es cierto que la noción de «palabra relacionada» implica o puede implicar la noción de semejanza semántica. Sin embargo, aparte de que éste se ha mostrado, en el mejor de los casos, un camino infructuoso por el que es difícil hacer transitar a todas aquellas piezas léxicas que se encuentran morfológicamente relacionadas, está el hecho más interesante puesto de manifiesto por la investigación en psicología del lenguaje (vid. Chomsky:1975) de que el hablante de una lengua no determina que la relación entre formas como *declarar*, *declaración* y *declarativo*, por ejemplo, es diferente de las relaciones que se establecen entre conjuntos de palabras como *tren*, *tranvía*, *taxi*, *autobús*... en base a su contenido significativo o a consideraciones semánticas de cualquier índole. Es preciso reconocer, evidentemente, que las palabras emparentadas, las que comparten una raíz común, están relacionadas semánticamente de manera más o menos íntima, pero estas relaciones aparecen, en la mayoría de los casos, empañadas por desviaciones múltiples de carácter imprevisible tantas veces puestas de manifiesto en la investigación léxica.

La teoría morfológica actual no se asienta, pues, en primitivos semánticos, por más que se reconozca que existen —como en otras parcelas de la Gramática— conexiones sistemáticas entre forma y significado, sino que basa tanto la delimitación de las unidades que se descubren en el análisis morfológico como su clasificación en criterios puramente estructurales de diverso tipo. Así, los morfemas no se aíslan por su contenido semántico, ni siquiera por una semejanza formal de tipo fónico —aunque estos datos es indudable que desempeñan un papel—, sino por sus propiedades estructurales, entre las que se cuenta su distribución.

Veamos esto con un ejemplo concreto que toma en cuenta ciertas características morfofonológicas. En *per-mit-ir* y *re-mit-ir* es lícito considerar un único morfema *mit* que se realiza como *mis* ante el sufijo adjetival *-ivo*: *re-mis-ivo*, *per-mis-ivo*; en *com-pro-met-er* o *co-met-er* aparece otra manifestación, alomórfica, del mismo morfema: *met*, la cual se realiza igualmente como *mis* ante el sufijo nominal *-o*: *com-pro-mis-o* y *co-mis-o*. Sin embargo, no podremos considerar que en *vomitar* se pueda aislar el mismo morfema *mit*, entre otras razones, debido a que éste se muestra invariable tanto ante el sufijo *-ivo*: *vomitivo*, como ante el sujijo *-o*: *vómito*. Tampoco parece posible identificar nuestro morfema con el morfema *mit* que encontramos en *con-co-mit-ar*, ya que éste no asibila la dental (/t/) ante vocal anterior (/i/), como puede comprobarse en *co-mit-iva* (frente a, por ejemplo, *mis-iva*).

Si nos fijamos en la relación alomórfica que aparece expuesta en el esquema (17) y la comparamos con la explicación que acabamos de dar del cambio del morfo radical *mit-* a *mis-* ante la presencia de una vocal anterior (*mit-iva* → *mis-iva*), convendremos, acertadamente, en que hay dos maneras, al menos, de dar cuenta de las variaciones alomórficas. Una, en la que todas las variantes de un morfema aparecen consignadas en el lexicón, junto con la información léxica pertinente y su distribución propia (vid. Lieber: 1982) y otra, donde los alomorfos son fruto de un proceso generativo y se obtienen mediante reglas específicas que operan sobre determinados morfemas en el contexto de otros morfemas específicos (cfr. las «reglas de reajuste», en Aronoff: 1976). Volveremos sobre ciertos aspectos de esta cuestión en el Capítulo 6.

3.2.2.2. Tipos de alternancias

Proponemos a continuación una clasificación, en cuatro tipos, de las variaciones alomórficas que pueden reconocerse de acuerdo con el condicionamiento que regula la alternancia:

(i) Alternancias fonológicas

Son aquellas que están fonéticamente condicionadas y son regulares y automáticas; se dan siempre que el contexto fónico se cumpla, con independencia de los morfemas en juego. Por ejemplo, el morfema negativo *IN-* del español tiene los alomorfos /**im**/ («imposible»), /**in**/ («intachable»), /**iɲ**/ («inllevable») e /**i**/ («iletrado»). Esta alomorfía es fruto de la asimilación de la nasal del prefijo a la consonante inicial de la base, con pérdida total de la nasal ante líquida (/l/ o /r/). En estos casos, es de esperar que tal alternancia se dé con morfemas diferentes; así ocurre con el *IN-* locativo el cual tiene, igualmente, los alomorfos: /**im**/, ante labial («imponer»), /**in**/, ante dental o alveolar («insuflar»), /**iɲ**/, ante palatal («inyectar») e /**i**/ ante líquida («irrumpir»). La misma variación de las nasales —salvo en lo que se refiere a su elisión ante líquida— se puede observar, incluso, cuando el segmento nasal no forma parte de un morfema separable, como en «ra[ɲ]cho», e incluso cuando entre la nasal y la consonante a la que se asimila hay linde de palabra, como en «Sa[m] Benito», lo cual prueba que es un fenómeno de fonética general del español, no supeditado a un tipo de morfema determinado. Veamos algún otro ejemplo: como es sabido, en algunos dialectos meridionales del español peninsular, las vocales /e/ y /o/, ante la /s/ del plural, se realizan como vocales abiertas: *papeles* → *papelę*, zapatos → *zapatǫ*, con pérdida de la sibilante, de modo que el rasgo de abertura se constituye en uno de los alomorfos del morfema de plural. Es este un cambio fonológico automático que se produce, como es lo esperado, con otros morfemas, como la segunda persona de singular del verbo (*tienes* → *tienę*), por el hecho de darse el mismo contexto fónico, e, incluso, en formaciones donde ni la vocal que se realiza con el rasgo de abertura ni la sibilante constituyen morfema independiente (*Dios* → *Diǫ*).

(ii) Alternancias morfofonológicas

Tienen una cierta base fónica por cuanto que tanto su contexto como el cambio producido pueden establecerse en términos fonológicos, pero no son fruto de la aplicación de una regla fonológica automática y regular; se circunscriben, por el contrario, a unos morfemas específicos en contextos fónicos determinados. Se trata de aquellos alomorfos que se obtenían en la fonología generativa clásica (vid. Schane: 1973) mediante las llamadas «reglas menores», esto es, reglas fonológicas que se aplican únicamente a un conjunto limitado de morfemas de tal modo que los morfemas individuales a los que les afecta una de estas reglas tienen que ir marcados en el lexicón con el rasgo correspondiente.

Por ejemplo, los morfemas radicales de los verbos *ced-(er)* y *(ad-)mit-(ir)* tienen los alomorfos *ces-* y *mis-*, respectivamente, los cuales aparecen ante el sufijo nominal *-ión*: *ces-ión*, *admis-ión*; la asibilación de la dental (/t/, /d/ → /s/) ante la semivocal [j], fenómeno con base fonética, no se produce, sin embargo, en todos los casos, como muestra la existencia en español de palabras como *paladión* o *bastión*, en las que las dentales se conservan inalteradas, sino únicamente ante el sonido [j] que forma parte del sufijo nominal *-ión*. Además, la dental en cuestión suele corresponder a un verbo de la 2a o de la 3a conjugación: *promet*$_{\langle 2.^a \rangle}$ → *promis-ión*, *admit*$_{\langle 3.^a \rangle}$ → *admis-ión*. Veamos otro ejemplo: en español, el radical de determinados verbos presenta una alternancia vocálica característica: /o/ ≈ /ue/, como en *mor-ir* / *muero*, y /e/ ≈ /ie/, como en *ten-er* / *tien-e*. Esta alternancia es debida a la posición del acento: desde una perspectiva sincrónica, es posible afirmar que hay diptongación cuando la vocal de la raíz lleva el acento. Esto es, la alomorfía que presentan estos morfemas radicales tiene una motivación fonética, si bien no automática; está limitada a ciertos morfemas radicales como los del ejemplo. En efecto, es posible comprobar que hay otros radicales verbales con **ó** o **é** acentuadas que no diptongan: *cóso*, *córro* (no **cueso*, **cuerro*) o *séco*, *méto* (no **sieco*, **mieto*). Desde una perspectiva diacrónica, la regla que fijaba esta alternancia se regulaba por otro factor fónico adicional, hoy ya no distintivo —solo diptongaban aquellas vocales /e/ y /o/ tónicas que fueran abiertas— y no admitía excepciones; en el español moderno, sin embargo, la alternancia descrita no afecta a todas las raíces verbales, por más que se ajusten al contexto fónico V ≈ V́, y, por lo tanto, la clasificamos como alternancia morfofonológica.

Los tipos de alternancias de (i) y (ii) se estudiarán sobre una base algo diferente en el Capítulo 6.

(iii) *Alternancias gramaticales*

No son automáticas ni están reguladas por cuestiones de índole fonética. Se trata de alternancias morfemáticas que se rigen por rasgos de índole gramatical, como es la categoría sintáctica o gramatical de un determinado morfema, o su género. En alemán, por ejemplo, el morfema de plural de los nombres tiene varios alomorfos (/e/, /V̈/.../e/, /en/), los cuales se distribuyen de acuerdo con el género de la base nominal a la que se agregan, según se muestra en (18):

(18)
a.   *N's neutros* /-**e**/
     Ex. (sg.) das Jahr («el año») ≈ (plu.) die Jahr**e**

b. *N's masc. /-e/ + cambio de la V de la base*
    Ex. (sg.) der Hut [hu:t] («el sombrero») ≈ (plu.) die Hüte [hy:te]
c. *N's fem. /-en/*
    Ex. (sg.) die Uhr («la hora») ≈ (plu.) die Uhr**en**

Dentro de este grupo, caben también aquellas alternancias que están reguladas por factores morfológicos como la clase conjugacional del verbo. Por ejemplo, en español, el morfema de pretérito (imperfectivo) tiene dos alomorfos; para los verbos de la 1.ª conjugación **/-ba/**: *ama-ba*, para los de la 2.ª y 3.ª, **/-ía/**: *corr-ía, ven-ía*. En ocasiones, determinados morfemas presentan alteraciones (alomorfos) ante linde de palabra, no ante linde morfemático, como en el caso del pronombre personal de dativo *le* del español que tiene un alomorfo *se* cuando aparece ante el pronombre acusativo *lo*: *le lo → se lo*. Que esta alternancia está fundamentada en la clase gramatical a la que pertenezcan las secuencias *le* y *lo*, se demuestra por el hecho de que no haya cambio en otros casos donde aparece la misma secuencia fónica, pero no los mismos morfemas gramaticales, como en «para*lelo*» o en «*le lo*calicé». Un ejemplo más para ilustrar este tipo de alternancias: el morfema de 2.ª pers. plural del imperativo en español es, para todas las conjugaciones, **/-d/**. Sin embargo, en ciertos contextos, aparece otro alomorfo: **/ɸ/**; esto ocurre ante el pronombre enclítico *os*: *retira-d+os → retiraɸ+os, servi-d+os → servíɸ+os*. Igualmente, la 1.ª persona de plural presenta la alternancia **/-mos/** ≈ **/-mo/**; este segundo alomorfo aparece ante el pronombre enclítico *nos*: *quedé-mo+nos, vá-mo+nos*.

(iv) *Alternancias léxicas*

La elección de los alomorfos no tiene ninguna base fonética; tampoco depende de la clase gramatical de la base, ni de algún rasgo morfológico determinado. Es, en realidad, una alternancia totalmente aleatoria que no puede expresarse mediante regla; más que un asunto que compete a la morfología es propiamente léxico. La elección de un alomorfo u otro está condicionada por el tipo de morfema lexemático que constituya la base. Por ejemplo, en español, el morfema de participio se realiza regularmente como **/-do/**, sufijo que se agrega a los temas verbales, con la vocal temática incluida: *ama-do, bebi-do, sufri-do*. Pero existen otros alomorfos: **/to/**, **/so/** y **/co/** que aparece con ciertos lexemas verbales: *ro-to, impre-so* y *di-cho*, p.e.

A veces, los alomorfos de un mismo morfema pueden pertenecer a más de uno de los tipos que acabamos de examinar. Por ejemplo, el plural nominal del inglés tiene varios alomorfos (**/s/**, **/z/**, **/əz/**) los cuales están condicionados fonéticamente; con ciertas excepciones, la distribución de los alomorfos es la que aparece en (19):

(19)
/əz/ aparece tras sibilantes o africadas
Ex. glass («cristal») → glasses [-əz];   church («iglesia») → churches [-əz]
/z/ aparece tras los demás fonemas sonoros
Ex. boy («chico») → boys [-z]
/s/ aparece tras los demás fonemas sordos
Ex. book («libro») → books [-s]

Pero, junto a estos alomorfos, hay otros sin ningún condicionamiento fonético , determinados únicamente por la base léxica a la que se añaden, y que clasificaremos, por tanto, como alternancias léxicas; este es el caso de los llamados plurales «irregulares» del inglés como *child* («niño») → *children*, *foot* («pie») → *feet* o *man* («hombre») → *men*.

4.

Afijación: derivación y flexión

4.1. Caracterización

Los procesos de afijación se dividen en dos tipos principales, flexión y derivación, en atención a los siguientes criterios:

a) *Capacidad creativa del proceso derivativo*: mediante la aplicación de un afijo derivativo a una base léxica se crea una nueva palabra. La creatividad inherente al proceso de la derivación se manifiesta en la extensión de procedimientos afijales productivos a otros lexemas, dando origen a nuevas palabras. En español, la clase de los afijos derivativos es más amplia que la de los flexivos. El inventario de afijos derivativos puede ampliarse con cierta facilidad y periodicidad o puede ocurrir que la frecuencia de alguno o algunos aumente por la acción de ciertos factores como el contacto con otras lenguas. La flexión, por el contrario, no crea nuevas entidades léxicas. Comprende un conjunto cerrado y limitado de afijos, inconmovible ante las modas y difícil de violentar.

b) *Los procesos flexivos constituyen paradigmas*: dado que los afijos flexivos están especializados para determinadas clases léxicas y que se aplican a ellas de manera regular, es posible confeccionar paradigmas donde se agrupen distintas formas de una palabra en atención a las marcas flexivas que la caracterizan (vid. Matthews: 1972). P.e., en español, los adjetivos constituyen el paradigma adjetival, caracterizado por los rasgos flexivos de género y número; el paradigma verbal, a su vez, está constituido por aquellas formas que tienen los rasgos flexivos de persona/número y tiempo/modo. Estos paradigmas son independientes del lexema de la base; de ahí que en la morfología clásica se estudiaran los cambios flexivos, declinación y conjugación, por medio de paradigmas «ejemplares» que habían de servir de modelo para todas las palabras de una misma categoría léxica. Determinados conceptos de la morfología como el de «supleción» (*soy/fui*) o el de «morfema cero» (*pastor-a/pastor-ϕ*) solo tienen razón de ser si se acepta la noción de «identidad paradigmática». Esta misma noción es la que determina que el aprendizaje de la flexión se haga con independencia del lexema base y proceda, en cambio, por consideración a las distintas categorías léxicas de la lengua en cuestión y a las distinciones que ésta haya gramaticalizado. Así, si inventamos el verbo *premar*, sabemos que sus pretéritos habrán de ser *premó* y *premaba* y que tendrá como forma de participio *premado*, etc.

c) *El proceso derivativo puede cambiar la categoría gramatical de la base*: en español, esto ocurre en el caso de los sufijos los cuales —como vimos en el Capítulo 2— tienen su propia categoría léxica que imponen a la base que subcategorizan. Otros afijos, como son los prefijos, respetan, en cambio, la categoría de la base.

d) *El proceso derivativo cambia la semántica de la base*: esta característica es inherente a su condición de proceso creador de nuevas palabras y al hecho de que los afijos derivativos son morfemas léxicos dotados de significado propio, a diferencia de los afijos flexivos que son morfemas gramaticales.

e) *La flexión es relevante para la sintaxis*: esta característica se deriva del hecho de que los rasgos flexivos transmitan contenidos gramaticales, involucrados en procesos sintácticos como la concordancia o la rección. La morfología flexiva se reconoce, así, por el uso que hace de ella la sintaxis y puede ser definida como aquella porción de la estructura de la palabra que es relevante desde el punto de vista de la sintaxis, en el sentido de ser accesible a reglas esencialmente sintácticas (vid. Anderson: 1988b).

f) *La flexión es periférica dentro de la estructura de la palabra*: de darse flexión y derivación en una misma palabra, el orden será, consecuentemente: [[DER] FLEX] o [FLEX [DER]]; cualquier otra ordenación originará malas formaciones: *libro-s-ería (por libr-ería-s), *encoler-ba-iza (por encoler-iza-ba); griego $_{Flex}$[de $_{Der}$[dys [tyje]] ka]$_{Flex}$ = «he tenido mala suerte», con flexión a la izquierda, además de a la derecha.

No resulta difícil poner en entredicho las distinciones que acabamos de anotar, aportando datos y pruebas de más o menos peso según los casos. Sin duda, las observaciones que hemos hecho son, en términos generales, acertadas, pero también es cierto que a partir de estas observaciones no es posible establecer siempre una diferencia clara entre flexión y derivación.

Por ejemplo, admitida la permanencia del significado en la afijación flexiva, habrá a continuación que explicar casos contradictorios como el tipo celo/celos, esposa/esposas, en general los llamados «singularia tantum» y «pluralia tantum», o el tipo, bastante más productivo en español, de cambio genérico como medio de crear nuevas entidades léxicas que observamos en manzana → manzano, almendra → almendro; esto es, la utilización del paradigma flexivo en un proceso derivativo.

Cuando se dice que en el caso de la flexión no hay cambio de categoría léxica, quedarán por explicar algunas formaciones híbridas, como las llamadas «formas personales» del verbo, incluidas en el paradigma verbal pero cercanas a otras clases léxicas como el nombre, en el caso del infinitivo, el adjetivo, en el del participio, y el adverbio, en el del gerundio. O, desde el lado de la derivación, ¿acaso no son los afijos apreciativos, diminutivos y aumentativos, tan regulares en su semántica y preservación de categoría sintáctica como los afijos flexivos?

En cuanto a las diferencias en la posición que ocupan, habrá que explicar algunos casos conocidos de flexión interna como el caso del supuesto «morfema de género» que aparece ante las formas derivadas en -mente en las lenguas romances: buen-a-mente, o marcas de plural internas, como en cual-es-quiera.

En lenguas con morfología muy rica, la división entre flexión y derivación resulta aún más difícil de precisar. En muchas lenguas indias de Norte América, p.e., ciertos verbos exhiben temas diferentes (fenómeno de «supleción») según sea el número de uno de sus argumentos. El número, en estos casos, deja de ser una categoría nominal que se realiza como una marca flexiva en el verbo para gramaticalizarse como una categoría léxica verbal, como si de un morfema derivativo se tratara. En navajo, concretamente (vid. Durie: 1986), la llamada construcción comitativa muestra esta propiedad: la supleción se produce en base al número de participantes en la acción verbal; la concordancia, por el contrario, está en función del número del sujeto oracional, como muestra el ejemplo de (1):

(1)
shí ashkii bi - ɬ yi   - **sh** - **'ash**
yo chico él-con PROG 1sg caminar (DUAL)
«Voy caminando con el chico»

4.2. Semejanzas formales

Salvo en lo que respecta a su orden de colocación (1.f), flexión y derivación han sido diferenciadas en atención a cuestiones sintácticas o semánticas pertinentes a campos distintos de la palabra como entidad formal. Ambos son, sin embargo, procesos de afijación que tienen como marco de operación la palabra y, en consecuencia, comparten propiedades formales que los distinguen de otros procesos de la lengua, como son los sintácticos. En este sentido, es de destacar que los dos procesos a los que nos estamos refiriendo no pueden ser distinguidos mediante procedimientos formales que resulten válidos para todas las lenguas. Por una parte, ambos procesos se muestran sensibles a los mismos condicionamientos fónicos. En Halle (1973), pueden encontrarse datos de varias lenguas que prueban que una determinada regla fonológica puede afectar a ciertas formas de un paradigma, pero no a otras, tanto en casos de «paradigmas» derivativos como flexivos. Comparemos, a modo de ejemplo, la restricción fonológica que pesa en español sobre la formación de plural (proceso flexivo) y la de diminutivo (proceso derivativo) en el caso de temas acabados en -s. En ninguno de los dos casos es posible adjuntar el afijo correspondiente, y tanto (plu.) *lunes-(e)s* como (dim.) *lunes-ito* son malas formaciones. En el caso del plural, podemos deducir que la restricción es fónica, debida a la identidad fonológica de los dos segmentos consonánticos en contacto. En el caso de la forma derivada, es evidente que no se trata de una restricción regulada por otro tipo de factor como pueda ser la categoría léxica o el contenido semántico, ya que otros días de la semana, también nombres, como *sábado* o *domingo* pueden suministrar formas en -*ito*: *sabadito, dominguito*. En ambos casos, además, la constricción fonológica deja de operar si la sílaba en la que se encuentra el último segmento de la base es tónica. Así, (plu.) *francés-es* y (dim.) *francés-ito* son ambas buenas formaciones.

Procesos fonológicos como la haplología, reduplicación y copia, epéntesis y apócope , metafonía y apofonía se dan igualmente en la morfología flexiva y en la derivativa.

Ambos procesos despliegan, asimismo, el mismo conjunto de operaciones formales. Aunque en una lengua como la española la flexión morfológica es sufijal (dejando aparte algunos casos de cambio vocálico del radical del tipo: *pon-er / pus-o*, etc.) , en otras muchas lenguas la flexión se puede marcar también con prefijos, solos (2a, a′) o acompañados además de sufijos (3a, a′), o con infijos (4a), lo mismo que la derivación (2b), (3b) y (4b, b′):

(2) *Prefijación*

a. (flex) niveano (lengua austronesia): **kua**$_{PERF}$-ta = «dibujó»

a′. (flex) dial.azteca:**ni/ti**$_{1/2sg}$-čoka = «lloro/lloras»

b. (der) esp.: **re**-poner

(3) *Pref + suf*

a. (flex) griego: **le**$_{PERF}$-ly-**ka**$_{PERF}$ = «he desatado»

a′. (flex) alemán: **ge**$_{PART}$-lach-t$_{PART}$ = «reído»

b. (der) esp.: **em**-pobr-**ec**-er

(4) *Infijación*

a. (flex) latín: ru-**m**-po = «rompo» (tema de presente) vs. rupi= «rompí» (tema de perfecto)

b. (der) esp.: azuqu-**it**-ar

b′. (der) jamú (lengua S.E. Asia): see = «taladrar» → s-**rn**-ee= «taladro»; hoom = «atar» → h-**rn**-oom = «cuerda».

La alomorfía tampoco se especializa para formas derivadas frente a flexionadas. El mismo alomorfo de un morfema puede ser la base tanto de un proceso flexivo como de uno derivativo. Así en (5):

(5)

a. dec-ir → Part (flex) dich-o
   A (der) dich-arachero

b. imprim-ir → Part (flex) impres-o
   N (der) impres-or/a

También hay casos de «morfema vacío» o manifestación de un morfo carente de sentido, esto es, sin morfema correspondiente, tanto en la flexión como en la derivación:

(6)

a. (flex) cant-**a**-r (vocal temática)

b. (der) cafe-**t**-era (los llamados «interfijos» o «consonantes antihiáticas» que se manifiestan entre ciertas bases y afijos).

Se han destacado, con todo, algunas características formales privativas de la flexión. Por ejemplo, en la derivación nunca hay casos de sincretismo, esto es, de morfos que encierren más de un morfema, como la marca -n en el plural verbal del español que aglutina las dos categorías flexivas de persona y número. En estos casos o en los de morfos «portmanteau» (fr. au ← à le) nunca confluyen dos categorías derivativas, o una flexiva con otra derivativa; únicamente dos o más flexivas. Tampoco cabe, en el caso de la derivación, hablar de «morfemas cero» o de «supleción» pues —ya lo hemos dicho— tales conceptos morfológicos son inherentes a la noción de paradigma regular y, por lo tanto, están reservados para la flexión. Otras cuestiones de índole externa se han aducido para fundamentar la división de la morfología en derivación y flexión, como el hecho de que los afásicos que adolecen de «agramatismo» pierdan las distinciones flexivas pero conserven intacta la morfología derivativa (vid. Badeker y Caramazza: 1989).

A continuación, nos interesaremos por dilucidar si ambos procesos se acogen a las mismas condiciones de buena formación que intervienen en la organización interna de las palabras. En un segundo punto, probaremos si se someten a ciertos principios que han recibido motivación independiente en otros componentes de la gramática.

4.3. Condiciones de buena formación de la morfología

Las condiciones sobre las reglas de formación de palabras que se han propuesto a lo largo de estos últimos años de investigación morfológica en gramática generativa han proporcionado un mejor entendimiento de las propiedades abstractas del componente morfológico. Formuladas, en sentido estricto, para los procesos morfológicos que crean palabras nuevas —derivación y composición—, resultan, sin embargo, aplicables a la morfología flexiva. Veámoslo.

4.3.1. La condición de la base única

«Una regla de formación de palabras no operará ya sobre esto ya sobre aquello» (Aronoff: 1976). Esto es, la especificación sintáctica y semántica de cada regla de afijación es una sola. Esta condición, excesivamente rigurosa, tropieza enseguida con numerosos contraejemplos a los que se ha tratado de dar respuesta de alguna de estas maneras:

a) Con la propuesta de reglas homófonas distintas que se justifican apelando a desviaciones semánticas en las formas derivadas. Así, por ejemplo, tras observar que los verbos causativos pueden tener en su base tanto adjetivos como nombres —en contra, pues, de la predicción de la «base única»—, se postularán dos reglas (R) de formación de causativos con efectos semánticos distintos según la base sobre la que se asiente cada uno de los procesos de afijación:

(7)
R1 concreto] $_A$ ar] $_V$ = «hacer algo concreto»
R2 fastidio] $_N$ ar] $_V$ = *«hacer algo un fastidio»

b) Con el recurso a la «Notación de la X-Barra». En Chomsky (1970), se propuso analizar las principales categorías léxicas, N, V, A, mediante dos rasgos [$\pm$N] y [$\pm$V], del modo que aparece en (8):

(8)
$$\mathbf{V} = \begin{bmatrix} +V \\ -N \end{bmatrix} \quad ; \quad \mathbf{N} = \begin{bmatrix} -V \\ +N \end{bmatrix} \quad ; \quad \mathbf{A} = \begin{bmatrix} +V \\ +N \end{bmatrix}$$

Así, los verbos causativos del ejemplo pueden generarse por medio de una única regla en la que se precise que afecta a bases caracterizadas por el rasgo [+N], esto es, a adjetivos y nombres.

Lo interesante de esta condición es que se aplica tanto en el caso de la derivación sufijal como en el de la flexión, por más que haya sido probada fundamentalmente con el primer tipo de afijación, ya que en el caso de la flexión se trata de un hecho poco interesante y, hasta cierto punto, redundante pues es bien sabido que las «clases de palabras» se establecen, entre otras razones, por consideración a las marcas flexivas que reciben.

4.3.2. Teoría de la ordenación por niveles

Aquí no nos hallamos ante una condición sobre la forma y funcionamiento de las reglas de formación de palabras, sino ante una propuesta de cómo se articula, en una ordenación jerárquica, el componente morfológico. Ya en el Capítulo 3 se vió que ha habido varias propuestas de ordenación; lo interesante es que, en todas ellas, los niveles o capas estructurales propuestos incluyen tanto casos de afijación derivativa como flexiva (cfr. Capítulo 6).

Ha habido, al menos, tres propuestas de principios morfológicos que se refieren al alcance máximo de la afijación, es decir, hasta dónde puede acceder un afijo dentro de la estructura interna de la palabra. Veámoslas:

4.3.3. Condición de adyacencia (Siegel: 1977)

«Ninguna regla de formación de palabra puede involucrar a X e Y, siendo X un afijo, a no ser que Y esté contenido en el ciclo adyacente a X.»

4.3.4. Condición del linde fuerte (Allen: 1978)

«En la estructura morfológica XL_FY, ninguna regla puede afectar a X e Y de manera que cambie algún elemento de X o Y, siendo L_F un linde fuerte, interpretable siempre como $\#\#$ o $\#$.»

4.3.5. Condición del átomo (Williams: 1981a)

«Una restricción en la adjunción de A(fijo) a Y solo puede hacer referencia a rasgos realizados en Y.»

Los tres principios que acabamos de exponer se refieren a la misma propiedad estructural de la palabra pero son distintos en sus predicciones. Por ejemplo, la condición enunciada por Williams descansa crucialmente en la noción de núcleo morfológico. Esto es, un rasgo propio de un morfema que ocupa la posición de la «cabeza» o «núcleo» de la construcción léxica será relevante a todos los estadios subsiguientes de la derivación. O dicho desde el otro ángulo, cualquier afijo que se adjunte tendrá que estar en consonancia con los rasgos realizados en el núcleo de la palabra pues, de lo contrario, no podrá afijarse. Así: *[guardia civil]ista es una mala formación, a pesar de que contamos con el adjetivo civilista, pues, de acuerdo con la estructura de (9):

(9)

76

el núcleo de la construcción léxica es «guardia» y éste, un N [+agente] ya derivado, no admite otro sufijo agentivo, en este caso -*ista* (cfr. «principio de bloqueo», Aronoff: 1976) . En cambio, una palabra como *[[misacant]ano]*, con la estructura:

(10)

respeta la condición del átomo y es, por tanto, una formación correcta (cfr. Cap. 5). El núcleo de la construcción es el nombre deverbal (con sufijación cero) más a la derecha, el cual filtra sus rasgos categoriales e inherentes a la cima de la palabra de modo que todo afijo que se adjunte posteriormente ha de hacer referencia a los rasgos del N superior, requisito cumplido por el sufijo -*ano* el cual se asigna a nombres y aporta el sentido de «persona relacionada con» (vid. Fernández Ramírez: 1986).

Este mismo principio puede mostrarse relevante en casos de flexión. Así, p.e., un verbo como esp. *poner* tiene que estar marcado desde el lexicón con un rasgo morfológico como [+perf fuerte] para formar su pretérito adecuadamente: *puso* y no *ponió*. Si derivamos este verbo primero por medio del prefijo *pro*- y, en un segundo ciclo, con el prefijo *contra*-, es necesario que el rasgo mencionado, realizado sobre el núcleo de la construcción léxica («poner»), se filtre —de acuerdo con la «condición del átomo»— a los nudos más altos de modo que se cree la forma adecuada: *contrapropuso*, según se muestra en (11):

(11)

Con respecto a la condición de adyacencia, los ejemplos relevantes son los siguientes. En español, p.e., no son posibles formaciones como:

(12)
a. * [in [des [cortés]$_A$]$_A$]$_A$
b. * [in [mal [[[formá]$_N$ a]$_V$ do]$_{PP}$]$_A$]$_A$

La explicación parece residir en cierta restricción, sometida a la «condición de adyacencia», según la cual no se pueden dar dos morfemas de contenido semántico negativo en ciclos morfológicos adyacentes. De ahí que *in-* negativo no pueda sumarse a los negativos *des-* o *mal-*, adjuntados a la base léxica en un ciclo inmediatamente anterior, tal como muestra el encorchetamiento de (12)a. y b. Sin embargo, podemos efectuar la prefijación de *in-* en palabras como:

(13)
a. [in [[des [pinta]$_V$]$_V$ ble]$_A$]$_A$ (pero: *indespintar)
b. [in [[ofensá]$_N$ ivo]$_A$]$_A$ (pero: *inofensa)

porque los constituyentes de carácter negativo («ofensa») o privativo («des-») no están en la capa estructural adyacente a *in-*, como muestra el doble corchete que aparece entre ellos.

La flexión está igualmente sometida, sin duda, a la condición estructural de la adyacencia. Así, p.e., una forma como:

(14)
* [[[[verdad]$_N$ era]$_A$ mente]$_{Adv}$ (e)s]

es inaceptable; no consiente la marca de número —aunque en la base existan un N y un A, ambos pluralizables— porque la aparición del sufijo *-mente*, adverbial, hace opacas las estructuras más internas de la palabra y el sufijo flexivo (+*(e)s*) solo puede hacer referencia a los rasgos del morfema inmediatamente adyacente a él, esto es, del sufijo *-mente*, el cual no admite el morfema de número.

No son, en cambio, imposibles compuestos como *(una máquina) hispanosuiza* o *(una mujer) sordomuda*, a pesar de que los adjetivos que los forman no conciertan en género; en estos adjetivos compuestos, el género, punto final del proceso léxico, se refiere al compuesto en su totalidad y solo se manifiesta en el segundo de los dos constituyentes, sin tomar en cuenta ciclos estructurales no adyacentes. Recuérdese que, según la «condición de adyacencia», los procesos internos —ya sean flexivos o derivativos— son opacos a las reglas de afijación que no les siguen en el ciclo inmediatamente adyacente y por eso es posible la incongruencia que aparentemente muestran estas palabras, donde se suceden, en yuxtaposición, dos adjetivos de diferente género.

4.4. Principios gramaticales aplicados a la afijación morfológica

Que se demuestre que la flexión y la derivación se ajustan a las mismas condiciones impuestas a las reglas de la morfología, esto es, que comparten las mismas propiedades formales, no invalida el hecho de que las operaciones que una y otra realizan afecten de modo distinto a los demás componentes de la gramática. De ahí que se haya intentado otra aproximación al problema de la distinción de estas dos partes de la morfología. Me refiero a probar si se someten a ciertos principios que han recibido confirmación en otros componentes gramaticales.

Un principio sintáctico que se ha esgrimido en este asunto es el llamado «principio de proyección» (Chomsky: 1981), según el cual las representaciones en cada uno de los niveles sintácticos se proyectan desde el lexicón, de tal modo que observan las propiedades de subcategorización de las piezas léxicas. Así, en Borer (1983) se sostiene que no hay afijación flexiva y afijación derivativa en los términos clásicos, sino que hay procesos de afijación que no se someten al «principio de proyección« (los léxicos o no sintácticos) y otros que sí lo hacen. Dado que éste es un principio relevante para la sintaxis, el primer tipo de proceso (que no obedece dicho principio) será opaco a las reglas de la sintaxis; el segundo tipo de operación morfológica, sensible al principio de proyección, tendrá lugar, en cambio, en la sintaxis. La aplicación de este principio a la distinción de los dos procesos de afijación de las lenguas naturales permite resolver algunos problemas que veíamos en el apartado 1. Concretamente, permite deligar el rasgo flexivo con pertinencia sintáctica («flexión sintáctica») de aquella otra marca, identificable con un paradigma flexivo regular pero carente de rasgos flexivos de interés para la sintaxis («flexión no-sintáctica» o «morfológica»). Me refiero a casos como:

(15)

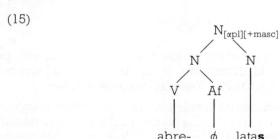

$N_{[\alpha pl][+masc]}$

N   N

V   Af

abre- ϕ lata**s**

con una marca flexiva interna -s, de interés para la morfología, pero descartada por la sintaxis en el caso de un sintagma como «el abrelatas», con concordancia en singular. O casos como:

(16)

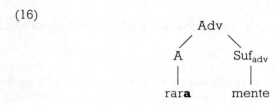

con una marca flexiva interna, irrelevante para la sintaxis.

Sin embargo, como se ha señalado (vid. Anderson: 1988 b), no es posible relegar la distinción entre derivación y flexión a este principio de la sintaxis si se entiende éste como el requisito de que las operaciones sintácticas preserven los rasgos propios de una pieza léxica, esto es, sus propiedades semánticas y de subcategorización, entre otras. Pensemos en un caso de nominalización como *construcción* en la oración:

(17)
a. La *construcción* de la Opera de Madrid se prolongará hasta el mes de octubre

esto es, una nominalización que hace mención de una acción/proceso. La conversión de este nombre en el plural *construcciones* implica cierto cambio semántico no neutral (contrariamente a lo que presume Borer que han de ser los cambios flexivos), que incide en su distribución, según demuestra la oración de (17)b.:

(17)
b. * Las construcciones de la Opera de Madrid se prolongarán...

4.5. Derivación

4.5.1. General

La derivación morfológica, como proceso léxico, se caracteriza por ciertas propiedades que la distinguen de la derivación sintáctica o transformación (vid. Wasow: 1977). Veamos cuáles son éstas:

a) No modifica la estructura sintáctica de la oración; solamente afecta a la distribución sintáctica de una palabra en una de estas dos maneras: (i) afecta a los rasgos de selección de esa palabra (*pesar patatas* pero *so-pesar* **patatas* / *una decisión*); (ii) afecta a la estructura argumental de la palabra en cuestión (*la falda es corta → la costurera a-corta la falda*). Es evidente que algunos morfemas derivativos tienen más consecuencias para la sintaxis que otros de modo que se podría proponer una escala de menor a mayor incidencia sintáctica: 1) morfemas sin cambio de categoría léxica (apreciativos: *casa → cas-ita*); 2) morfemas que no cambian la categoría léxica pero que afectan a ciertos rasgos léxicos fundamentales (*fruta → frut-ero*); 3) morfemas que cambian la categoría léxica y afectan, por tanto, a la distribución sintáctica de la palabra pero mantienen la estructura argumental de la palabra-base (*interrumpir → interrup-ción*), 4) morfemas que cambian la categoría léxica y la estructura argumental de la palabra-base (*moderno → modern-izar, canonizar → canoniza-ble*).

b) La derivación tiene la facultad de relacionar elementos de distintas categorías sintácticas : **V** + *ble* → **A** (*poni-ble, penetrable...*).

c) Es un proceso local (vid. Emonds: 1976); p.e., entre los elementos afectados no puede existir una variable.

d) Puede presentar excepciones idiosincrásicas: *in-capaz* = «nocapaz» vs. *indispuesto* = «enfermo» (* «no-dispuesto»), o *a-rremetida* = «la acción de arremeter» vs. *entre/o-metida* = «persona que se mete donde no le llaman» (* «la acción de entremeter»).

Por otra parte, en el proceso de derivación morfológica se produce siempre algún cambio fonológico de la estructura básica; es frecuente que se añada material fónico bajo la forma de un afijo (*fuma-(r) → fumador*), aunque también se dan casos de formaciones que eliminan material, los llamados «acortamientos», p.e., característicos de los hipocorísticos (*Beatriz → Bea*), o las llamadas «formas regresivas» (ing. *to beg* = «mendigar« ← *beggar* = «mendigo»). En el caso de las llamadas «formas temáticas», puede pensarse que no hay tampoco afijación alguna, como ocurre con los derivados postverbales del español, donde un verbo se habilita como nombre bajo la forma de la raíz pura más una vocal que puede coincidir con la del tema verbal, aunque no necesariamente (*costar*$_V$ → *coste*$_N$, *costa*$_N$, *costo*$_N$).

4.5.2. Las reglas de afijación derivativa

Constituyen, junto con las reglas de composición, el subcomponente de «reglas de formación de palabras» de la morfología (cfr. Cap. 1).

Introducen cierto material morfofonológico —los afijos— y lo adjuntan a una base léxica: un tema o una palabra (cfr. Cap. 2). Estas reglas de afijación toman en consideración ciertos rasgos de la base: *a*) rasgos categoriales; *b*) rasgos contextuales; *c*) rasgos semánticos, y tienen el poder de cambiar o de afectar de diversas formas a estas propiedades de la base. Asimismo, son sensibles a ciertas propiedades fonológicas y puramente morfológicas de la pieza léxica a la que se aplican. El resultado de la aplicación de una de estas reglas está en función de la peculiar relación que establece un afijo con su base, como ya se dijo (cfr. p. 41); ésta no solo se refleja en el significado de la pieza léxica derivada sino también en sus propiedades contextuales. Por ejemplo, un nombre deverbal en -*ción* (*programación, industrialización...*) no es igual que cualquier otro nombre del léxico español que no provenga de un verbo; todos estos nombres en -*ción* tienen un significado compartido que puede parafrasearse como «acción/efecto de V» y despliegan unas propiedades sintácticas igualmente privativas de ellos.

Como vimos también en el Capítulo 1, es posible bloquear la asignación de un afijo a una base, esto es, la aplicación de una determinada regla de formación de palabra, apelando a estos condicionantes (sintácticos, semánticos , fónicos o morfológicos) los cuales pueden incorporarse como parte sistemática de la descripción estructural de una regla.

A continuación, analizaremos algunas formaciones léxicas del español como un medio de ejemplificar cada uno de los rasgos y las restricciones que, según hemos dicho, pueden figurar en una regla derivativa.

4.5.1.1. El sufijo adverbial -*mente* del español se agrega a bases de la categoría léxica Adjetivo (vid. Moignet:1963, Egea:1979, Scalise:1988); tanto a bases simples (18), como derivadas (19a, b):

(18)
[[ágil]$_A$ mente]$_{Adv}$

(19)
a. (denominales) [[[pavor]$_N$ osa]$_A$ mente]$_{Adv}$
b. (deverbales) [[[decidi]$_V$ da]$_A$ mente]$_{Adv}$

Se adjunta a palabras compuestas, siempre que estén formadas por dos temas (20a) o estén fuertemente lexicalizadas (20b); el resto de los compuestos no suele admitir -*mente* (20c):

(20)
a. [[tele]$_T$ [fón]$_T$ ica]$_A$ mente, [[filo]$_T$ [sóf]$_T$ ica]$_A$ mente
b. [agridulce]$_A$ mente, [malsana]$_A$ mente

c. *[termodinámica]$_A$ mente, *[físicoquímica]$_A$ mente
   (vs. «térmica y dinámicamente» o «física y químicamente»)

Tiene ciertas restricciones categoriales como no combinarse con adjetivos posesivos (*suyamente), demostrativos (*aquellamente), indefinidos (*algunamente) o numerales (*segundamente, pero: primeramente). Se trata, en realidad, de una limitación de carácter semántico por cuanto no se adjunta a ningún otro adjetivo determinativo o especificativo. Están, pues, descartados todos los adjetivos que indican origen, situación, pertenencia o filiación (*francesamente, *comunistamente, *eléctricamente...), salvo si se usan como calificativos, en cuyo caso ya admiten el sufijo adverbializador: «Se comporta muy españolamente cuando está en el extranjero». Dentro de los adjetivos calificativos, están descartados los que indican cualidades físicas o materiales inherentes al sujeto (tamaño, forma, color, capacidad, extensión...): *calvamente, *jovenmente, *rojamente, *redondamente..., salvo si se interpretan, metafóricamente, como una cualidad moral, o se emplean con un sentido valorativo. Así, un adjetivo como agrio, que puede aplicarse a un objeto material («naranjas agrias»), no admite, en esta acepción, la sufijación de -mente; referido a una cualidad o a una acción («respuesta agria»), sí la permite:

(21)
agriamente = *de un modo que produce sensación de acidez
       = de un modo áspero, desabrido

En este mismo sentido, un adjetivo como largo, que puede indicar la longitud de un objeto o la duración en el tiempo, solo permite la conversión en -mente en este último sentido, no material:

(22)
Peroró largamente sobre el tema (vs. *Saltó largamente)

Una restricción semejante a la que acabamos de ver (basada en las oposiciones cualidad física/cualidad moral u objeto material/no-material) es la que funciona en el caso de ciertos adjetivos derivados, bastante productivos como base para la adverbialización: a) adjetivos en -oso: ambicioso o milagroso pueden dar, respectivamente, ambiciosamente y milagrosamente, pero montañoso o lanoso no pueden hacer *montañosamente, *lanosamente; b) adjetivos en -al: mental(mente), tradicional(mente) vs. postal(*mente), residencial(*mente); c) adjetivos en -ario: solidaria(mente), temeraria(mente) vs. portuaria(*mente), arancelaria(*mente); d) adjetivos en -ico: irónica(mente), simbóli-

ca(mente) vs. *metálica(*mente)*, *cárnica(*mente)*. La explicación, válida para todos estos casos, parece residir (Scalise: 1988) en que el adverbial *-mente* no puede adjuntarse a adjetivos que provengan de un N [+concreto]: *puerto*$_{N[+concr]}$ → *portuaria* → **portuariamente*, *carne*$_{N[+concr]}$ → *cárnica* → **cárnicamente...*

Especial tratamiento merecen los adjetivos deverbales (en *-ble, -do* y *-nte*) respecto del sufijo adverbializador por el complejo panorama que presentan. En unos casos (23a), no admiten el sufijo *-mente*, en otros (23b), lo admiten solo si aparecen prefijados con los negativos *in-* o *des-* y, por último, un tercer grupo (23c) permite la adverbialización incluso en la forma positiva:

(23)
a. *evitablemente, *creíblemente, *olvidablemente...
    *interrumpidamente, *variadamente, *amparadamente...
    *continentemente, *dolientemente
b. inevitablemente, increíblemente, inolvidablemente...
    ininterrumpidamente, invariadamente, desamparadamente
    incontinentemente, indolentemente
c. visiblemente, lamentablemente, razonablemente...
    sosegadamente, repetidamente, especificadamente...
    brillantemente, obedientemente...

Los autores que se han ocupado de estas formaciones adverbiales de las lenguas romances coinciden en que los adjetivos deverbales que permiten la afijación de *-mente* son aquellos en los que el primitivo origen verbal apenas se transparenta en el adjetivo. Esto se observa con claridad en aquellos que han sufrido cambios semánticos radicales en virtud de un proceso de lexicalización total: *agradable, amable, imponente, corriente...* Más concretamente, el adjetivo base no debe contener la idea de acción si ha de recibir el adverbio *-mente*. Es posible, pues, argumentar (vid. Varela: 1989) que la diferencia entre los adjetivos que admiten *-mente* y los que no lo admiten reside en una distinción de carácter aspectual. Los adjetivos que proyectan el aspecto perfectivo [delimitado] (vid. Tenny: 1987), caracterizados por una estructura argumental consonante con este rasgo, serán los candidatos potenciales a la adverbialización. En aquellos casos (23b) en los que veíamos que el adjetivo sólo se convertía en una base aceptable para *-mente* si estaba previamente negado, es plausible suponer que los prefijos negativos anulan el aspecto perfectivo [no-delimitado], incompatible con la adverbialización.

4.5.1.2. Otras formaciones derivadas pueden ejemplificar la relevancia de los rasgos contextuales en la creación de nuevas palabras. Así, es posible demostrar (vid. de Miguel: 1986) que los verbos que suministran formas adjetivales en -ble son aquellos, transitivos (24a) o intransitivos (24b) , que se caracterizan porque llevan un sintagma nominal (objeto o sujeto) que tiene asociada la función semántica de «Tema» (cfr. Cap. 7):

(24)
a.   bebe (agua$_{Tema}$) → (el agua es) *bebible*
b.   (su recuerdo$_{Tema}$) perdura → (su recuerdo es) *perdurable*

En otros casos, puede resultar oportuno reflejar la distribución de los afijos que admite una forma verbal tomando en consideración las restricciones seleccionales del verbo que está en la base; esto es, en atención a rasgos como [±abstracto], [±animado]... que caracterizan a los constituyentes nominales que acompañan al verbo. Así, p.e., un verbo como *romper* dará *rotura*, si selecciona un sintagma nominal cuyo núcleo es un N [+objeto físico] («La rotura de la pierna»), pero *ruptura*, si un N [−objeto físico] («La ruptura de relaciones»). El otro nominal, *rompimiento*, se producirá cuando la acción es considerada a lo largo del tiempo, con aspecto durativo.

4.5.1.3.   Por último, veremos algunos ejemplos de morfología derivativa donde operan restricciones fónicas o estrictamente morfológicas. Si bien la forma que adopte el nominal de un verbo es, por lo general, aleatoria (cfr. Cap. 1), en otras, su peculiar estructura fonológica le hace especializarse para un determinado sufijo nominalizador , hecho que debe figurar en la descripción estructural de la regla derivativa en cuestión. Así, p.e., se puede enunciar una restricción negativa del tipo:

(25)
* ____ ment]   m(i)ento]
     $V_{[+1.^a \text{ conj}]}$ N

o su alternativa, como condición positiva:

(26)
____ ment]   ción]
   $V_{[1.^a \text{ conj}]}$ N

para dar cuenta del hecho de que los verbos del léxico español que terminan en *ment-* , de la 1.ª conjugación, no admiten el sufijo nominalizador en -*miento* y, por efecto de un proceso típico de disimilación, se especializan para el sufijo *-ción*: *lamenta-ción, cimenta-ción, fragmenta-ción, experimenta-ción, alimenta-ción...*

En otros casos, es necesario acudir a especificaciones estrictamente morfológicas, como tipos de raíces que admiten tal o cual afijo, o subclases morfológicas de una categoría léxica que se especializan para una formación derivada concreta. Veamos algún ejemplo. En español, la regla que forma verbos causativos a partir de bases adjetivales es bastante productiva (*bello* → *em-bell-ec-er, blanco* → *blanqu-ea-r...*) ; en el caso de aquellos adjetivos que cuenten con una forma especial de comparativo, la regla es que tal forma será el alomorfo elegido como base para la derivación causativa: *em-peor-ar* (no **(en/a)-mal-ar*), *mejor-a-r* (no **buen-a-r*), *optim-izar, minim-izar, maxim-izar...* A veces, es posible introducir cierta sistematización en el orden de aplicación de reglas derivativas que componen una secuencia, si nos fijamos en ciertas restricciones que afectan a la raíz de la palabra. Así, p.e., en español los sufijos *-ismo* y *-al* se combinan en las dos ordenaciones posibles: a) *ab-ism-al, baut-ism-al, parox-ism-al*, o b) *orient-al-ismo, du-al-ismo, liber-al-ismo*. Es posible introducir en la regla derivativa correspondiente la especificación de que el orden de *a*) se dará únicamente con raíces-tema y el de *b*), mucho más productivo, con raíces-palabra (cfr. Cap. 2). Un último caso donde las restricciones entre afijos es operante. En español, existe cierto número de formas adjetivas con la estructura **[[[X] ment]al]**: *esta-ment-al, funda-ment-al, guberna-ment-al, orna-ment-al, sacra-ment-al, ele-ment-al...* Solo algunas de ellas admiten el sufijo nominalizador *-idad*: *orna-ment-al-idad, sacra-ment-al-idad, ele-ment-al-idad....* Estas resultan ser justamente aquellas cuyos radicales no se realizan como piezas léxicas independientes en el español actual: **orna-, *sacra-, *ele-*.

4.6. Productividad

Las reglas derivativas se diferencian en su capacidad para formar nuevas palabras , en su *productividad*; hay dos nociones de productividad: la real, que se obtiene del recuento de las palabras que se han creado por medio de esa regla y que puede identificarse con la *frecuencia* en que aparece un afijo en el vocabulario de una lengua , y la potencial, que es la medida de su capacidad intrínseca para suministrar nuevas palabras en la lengua en cuestión. Esta segunda interpretación de la «productividad» es la que tiene interés para la teoría morfológica pues las palabras potenciales proporcionan al estudioso de la morfología datos más relevantes sobre la naturaleza de las reglas de formación de palabras que las palabras existentes, las cuales pueden detentar un alto grado de lexicalización o haber desarrollado rasgos idiosincrásicos muy marcados que ocultan el proceso derivativo subyacente. Si nos basáramos en ellas, sería como si se pretendiera explicar la sintaxis de una lengua a partir de frases hechas o modismos.

Esta segunda concepción de la productividad es propia de la competencia, no de la actuación, y, por lo general (vid. Aronoff: 1976, 1980 y van Marle: 1985, 1988), se cifra en el número y tipos de restricciones que contiene un proceso morfológico dado. Así, la facilidad relativa con que un afijo construye nuevas palabras depende de diversos factores como tener una distribución definida, estar sometido a pocas restricciones y ser semánticamente transparente. Por ejemplo, la prefijación de *in-* en español que se da en *controlable* → *in-controlable* tiene un alto grado de productividad porque este afijo subcategoriza un Adjetivo en *-ble*, es regular en su resultado fónico y tiene el significado constante de «negación de la noción de posibilidad contenida en la base».

4.7. Morfología apreciativa

El caso de la afijación apreciativa (diminutivos, aumentativos y despectivos) representa uno de los problemas clásicos de la morfología de las lenguas romances. El problema es doble: ubicación de la afijación apreciativa en una morfología ordenada en niveles y pertenencia de la afijación apreciativa a la morfología concatenante o a la no concatenante. Veamos algunos datos relevantes en relación a estas cuestiones, tomando como ejemplo el sufijo diminutivo *-ito*.

Desde una perspectiva semántica, es lícito considerar la morfología apreciativa como un procedimiento léxico y, por tanto, acomodarla en el subcomponente derivativo de la morfología, debido a que el sufijo diminutivo transmite un contenido nocional aminorador y/o una función expresiva, emotiva. Sin embargo, también es cierto que, aplicado a un nombre, el diminutivo no produce una nueva entidad; el contenido que aporta el sufijo es de carácter connotativo, no denotativo y, por lo tanto, el referente es el mismo de la base léxica. Este hecho semántico se corresponde con un hecho gramatical relevante: como es notorio, los afijos apreciativos no cambian la categoría léxica de la base a la que se añaden: *mesa]*$_N$ → *mes-ita]*$_{DimN}$, *perro]*$_N$ → *perr-azo]*$_{AumN}$; *bajo]*$_A$ → *baj-ito]*$_{DimA}$, *grande]*$_A$ → *grand-ón]*$_{AumA}$. A semejanza, también, de la flexión, la morfología apreciativa no está regulada por el lexema de la base; se especializa para determinadas categorías sintácticas y su productividad está únicamente limitada por razones de índole semántica o fonológica (vid. Lázaro Mora: 1976). Otras características singulares de la morfología apreciativa son de carácter formal:

a) Es el último de los afijos que puede aparecer antes de los flexivos (*relacion-cita(*al-mente)*); en algunos casos, se comporta como un verdadero infijo (vid. Jaeggli: 1980), rompiendo la raíz (27a), o intercalándose entre los segmentos de un afijo derivativo (27b):

> (27)
> a. azúcar → azuqu-it-ar ; Carlos → Carl-it-os
> b. anarquista → anarquist-it-a

b) A diferencia de los sufijos derivativos, no tiene su propio paradigma flexivo y, en consecuencia, transmite el del lexema-base:

> (28)
> sal]$_{N[+fem]}$ → (DER) sal-**ero**]$_{N[+masc]}$
> → (DIM) sal-**ecita**]$_{N[+fem]}$

c) Por lo que respecta al diminutivo, el sufijo *-ito* tiene la facultad de cambiar la marca de género del nombre de la base, recuperando, por así decir, los alomorfos prototípicos o canónicos del género masculino (*-o*) y del femenino (*-a*), cuando tales marcas no se manifiestan en la base:

> (29)
> (fem) man**o** → man-it-**a** ; (masc) jef**e** → jef-ec-it-**o**
> (fem) señalϕ → señal-it-**a** ; (masc) canalϕ → canal-it-**o**

d) El diminutivo está, asimismo, sometido a cierta variación alomórfica. Sin entrar en otros pormenores, con los nombres y adjetivos monosilábicos y los disilábicos de diptongo en el radical o acabados en *-e*, *-n* o *-r*, el afijo *-it-* recibe el aumento *-(e)c-* (llamado por algunos «interfijo»): *sol* → *sol-**ec**-it-o*; *cuenta* → *cuent-**ec**-it-a*; *choque* → *choqu-**ec**-it-o*; *joven* → *joven-**c**-it-o*; *pastor* → *pastor-**c**-it-o*.

Especial interés para dilucidar el estatuto de la morfología apreciativa tiene observar su funcionamiento en estructuras morfológicas más complejas, concretamente en los compuestos (vid. Varela: 1986) . Veamos algunos datos. En los nombres compuestos, el diminutivo *-it-* se comporta como un infijo aplicado a todo el compuesto, según revela la interpretación semántica de los nombres en (30):

(30)
tocadisquitos = «tocadiscos pequeño» (*«gramófono de discos pequeños»)
paragüitas = «paraguas pequeño» (*«utensilio que para poca agua»)

En tales casos, sin embargo, podemos observar varias anomalías con respecto a los rasgos formales que antes hemos destacado. Por ejemplo, el diminutivo no afecta a la marca de género del compuesto —siempre masculino—, como esperaríamos a la vista de su comportamiento con las palabras no-compuestas (cfr. c)), de modo que nunca se dan formaciones como las de (31):

(31)
*paragü-it-os , *cuentagot-it-os, *apagavel-it-os...

Además, las reglas alomórficas que se aplican al resto de las formas diminutivas (cfr.d)) no se observan en el caso de los compuestos. Así, el nombre compuesto de (32), aunque tiene más de dos sílabas, toma, no obstante, el aumento -ec-; esto ocurre en todos aquellos compuestos cuyo segundo elemento es uno de esos nombres que requieren -ec- de acuerdo con su estructura silábica:

(32)
parachoque → parachoqu-ec-it-o (*parachoqu-it-o)

La anomalía con respecto al marcador de género, así como la irregularidad alomórfica del diminutivo, muestran que la afijación apreciativa se manifiesta sobre el segundo constituyente del compuesto, hecho inconsistente con la interpretación semántica que se le asigna (cfr. (30)). Tenemos, aquí, un caso típico de discrepancia entre estructura formal e interpretación semántica como vimos en el Capítulo 3.

Se produce también otra anomalía con respecto al afijo flexivo de número, en aquellos casos en los que la -s de plural se atribuye al segundo constituyente por cuanto que el diminutivo, aunque referido a todo el compuesto, aparece antes del afijo de plural de un constituyente interno de la estructura vocabular: i.e. agü-it-as, en el caso de paraguas. Esto es, hubiéramos esperado formas como las de (33) que, de hecho, son incorrectas. Otro caso más de «paradoja» estructural (cfr. Cap. 3).

(33)
*paraguas-it-o(s)   ;   *cuentagotas-it-o(s)...

Tales incongruencias con relación a la ordenación de la afijación apreciativa plantean un problema adicional, como es obvio, a las dos restricciones que hemos visto en este capítulo en relación a la adjunción de los afijos: la «condición del átomo» y la «condición de adyacencia» y, en general, a cualquier tipo de morfología que defienda una ordenación en niveles (cfr. Cap. 2).

La afijación apreciativa parece ser, como decíamos al comienzo de este apartado, un caso de derivación. No se puede comparar a la flexión desde un punto de vista paradigmático; no hay «clases apreciativas» al modo de las «clases flexivas». Desde un punto de vista sintagmático, tampoco se puede equiparar a la flexión; los afijos apreciativos o evaluativos no dependen de la estructura sintáctica o de las relaciones gramaticales, como ocurre normalmente con los flexivos. Sin embargo, como se observaba antes, en muchos aspectos se comportan de manera muy similar. En mi opinión, esta similitud es de orden fonológico más que morfológico. Ambos tipos de afijación son sensibles a condicionamientos propiamente fonológicos, que no se aplican en el resto de la morfología, y ambos son, por otra parte, inmunes a ciertas condiciones estructurales de carácter puramente morfológico. Con todo, dado que su vinculación con el proceso derivativo es evidente, podría pensarse en distinguir entre *derivación fonológica* y *derivación no-fonológica*, distinción que complementa la que antes se mencionó entre flexión sintáctica y no-sintáctica (o morfológica). La morfología del español tiene otros casos de derivación [+fonol], además de los afijos diminutivos, aumentativos y despectivos. Estos son: hipocorísticos, formas acortadas, superlativos (*-ísimo, -érrimo...*), reduplicación aumentativa (*re-, requete-*) y, quizás, los controvertidos interfijos o consonantes antihiáticas (vid. Malkiel: 1957 y Lázaro Carreter: 1972). Se trata, en todos los casos, de procesos morfofonológicos de infijación, reduplicación y copia, síncopa y haplología, tradicionalmente considerados problemáticos para una morfología concatenante. En realidad, puede predecirse que si un proceso morfológico es de tipo no-concatenante, estará fonológicamente condicionado. Los rasgos más sobresalientes de las reglas de formación de palabras [+fonol] son los siguientes (para una relación entre morfología y fonología sobre otras bases, cfr. Cap. 6):

a) Así como las reglas derivativas típicas se limitan a un nivel o estrato determinado con la única restricción de que el marco de subcategorización de sus afijos se satisfaga, las reglas de derivación fonológica no se asignan a un nivel morfológico preciso sino que pueden abarcar varios estratos. Si un afijo de este tipo se adjunta, su distribución se determinará únicamente en atención a una base definida fonológicamente. Son afijos derivativos «terminales», adjuntados cuando la palabra, como unidad fonológica, está ya construida.

b) Las reglas [−fonol] pueden no efectuar operación morfofonológica alguna, como en el caso de la «sufijación cero»; las reglas [+fonol], por el contrario, provocan siempre un cambio morfofonológico, aunque no necesariamente a través de la afijación, como es el caso de las formas acortadas.

c) Las reglas [−fonol] no contienen casos de mera reduplicación; los ejemplos bien conocidos con los prefijos *re-* (*re-re^n lectura*), *anti-* (*anti-anti^n misil*) o *ante-* (*ante-ante-...ayer*) son casos de **recursividad** por los que se crea una nueva entidad. Las reglas [+fonol], en cambio, admiten la reduplicación opcional, donde la repetición de un afijo está limitada a dos o tres apariciones, tiene incidencia en la intensificación pero no afecta al significado denotativo de la palabra (*requete- requete-bueno*).

d) Las reglas [+fonol] son particularmente sensibles a la estructura silábica de la palabra así como a la posición del acento y, en cambio, son , por lo general, indiferentes a la categoría sintáctica de la base.

e) Las reglas [−fonol] están ordenadas disyuntivamente: la aplicación de una regla de un tipo bloquea la aplicación de otra del mismo tipo en el mismo ciclo derivativo (*procesa-miento/*ción*); las reglas de derivación [+fonol] no tienen esta limitación (*requete-buen-ísim-o*); las reglas [−fonol] están gobernadas por condiciones morfológicas de buena formación como la «condición de adyacencia» o la «condición del átomo»; las de tipo [+fonol], en cambio, son indiferentes a tales condiciones.

f) Las reglas [−fonol] son altamente idiosincrásicas y limitadas en su productividad. No hay un significado constante y predecible. Las reglas [+fonol], por su parte, son mucho más productivas y uniformes; su resultado semántico, además de ser predecible y estar fijado, afecta normalmente al contenido connotativo.

Las particularidades y contradicciones que destacamos al comienzo en relación a los diminutivos dentro de los compuestos pueden, en mi opinión, explicarse si la afijación apreciativa se entiende como un proceso de formación de palabras de naturaleza fonológica. Como las reglas del componente fonológico, las reglas de derivación [+fonol] tienen acceso únicamente a información del ciclo inmediatamente adyacente. Esto explica por qué el infijo *-it-*, insertado dentro del segundo constituyente de la palabra, no puede cambiar la marca de género (ex. (31)): no ve el siguiente ciclo que corresponde al nombre compuesto. El hecho de que la afijación apreciativa o evaluativa no dependa de ningún tipo de ordenación morfológica ni esté sometida a condiciones de buena formación morfológica, explica la contradicción aparente de los ejemplos de (30): el infijo *-it-* se inserta en la palabra cuando ya está formada y, aunque contiguo al segundo constituyente, se refiere, no obstante, al compuesto entero. Finalmente, el hecho de que la regla apreciativa, como toda regla [+fonol], tenga acceso a la estructura fonológica del ciclo en el que se aplica y no a la estructura morfológica de la palabra, explicaría la aparente anomalía de (32).

4.8. Flexión

4.8.1. General

Tal como quedó de manifiesto en el parágrafo 1, no existen criterios morfológicos universalmente válidos para distinguir la flexión de la derivación, de modo que se ha recurrido a definir lo flexivo por su función en la sintaxis.

Es evidente que los distintos rasgos flexivos están íntimamente relacionados con diversas propiedades sintácticas (vid. Anderson: 1988 b). Veámoslas.

a) *Propiedades de concordancia*: p.e., la que establece un adjetivo en español con el nombre al que acompaña el cual, a su vez, tiene características flexivas *inherentes*, como es la del género.

b) *Propiedades configuracionales*: en una lengua dotada de caso morfológico, como el latín, un nombre podrá recibir la marca del caso nominativo si es sujeto de una oración temporalizada, esto es, la marca flexiva depende de la posición estructural en que aparece la palabra.

c) *Propiedades oracionales*: el tiempo o el modo p.e., son propiedades oracionales, aunque se realicen en elementos léxicos determinados.

En resumen, los afijos flexivos son morfemas gramaticales que expresan categorías funcionales. En las lenguas llamadas «flexivas», la función sintáctica de los constituyentes oracionales viene expresada por tales morfemas gramaticales de modo que las palabras reciben flexión en virtud no de un proceso (morfo)léxico sino de uno (morfo)sintáctico.

Debemos, con todo, identificar dos aspectos generales de la flexión de la palabra; de un lado, están las categorías sintácticamente relevantes que expresan los *rasgos flexivos* y, del otro, los medios formales o *marcas flexivas* que realizan estas categorías (cfr. Cap. 7). Como ya se ha dicho, gran parte de la controversia de los últimos años en la investigación morfológica ha girado en torno al destino que se le da a estos dos aspectos de la flexión. En la teoría lexicalista más restrictiva, se defiende que las marcas flexivas están únicamente relacionadas con estructuras morfológicas y, por lo tanto, que toda la flexión se lleva a cabo en el componente léxico mediante los recursos del subcomponente morfológico. La sintaxis tendrá información de la lista de rasgos flexivos propios de la palabra en cuestión, como también la tiene de su categoría gramatical y de cualquier aspecto idiosincrásico significativo, pero ninguna regla sintáctica podrá acceder a la estructura morfológica y manipular sus elementos de acuerdo con requisitos de la estructura sintáctica.

En otras teorías morfológicas menos restrictivas, se admite que las reglas de la sintaxis puedan hacer sistemáticamente referencia a ciertos rasgos flexivos de la palabra pero el modo en que éstos se realizan en la palabra (esto es, las operaciones que entraña la flexión o los elementos que intervienen en tales operaciones) sigue considerándose asunto privativo de la morfología. En el modelo ampliado de Palabra y Paradigma, p.e., (vid. Anderson, *op.cit.*) se entiende que el componente morfológico comprende un conjunto de reglas cada una de las cuales opera sobre un par consistente en un tema sacado del lexicón y la representación morfosintáctica que se obtiene de las propiedades asignadas a la palabra en la sintaxis. Por último, en las versiones últimas de la teoría sintáctica generativista se considera lícito no solo que las reglas sintácticas hagan referencia a ciertos rasgos de la palabra (los flexivos, fundamentalmente, aunque no solo ellos, vid. Baker: 1988) sino que puedan, además, manipularlos de diversas maneras, p.e., interviniendo en su ordenación correlativa dentro de la palabra.

Es preciso reconocer que existen ciertas diferencias, de las que no habíamos hablado hasta ahora, entre los afijos flexivos y los derivativos que inciden significativamente en la función que unos y otros van a tener en la cadena sintagmática. Cuando un morfema de Tiempo (T) / Modo (M) o de Número (N) / Persona (P) se adjunta a una base verbal o uno de Género (G) o número (N), a una adjetival, independientemente de cuál sea la distribución de estos morfemas en la estructura vocabular o la distancia que tengan unos y otros con respecto a los márgenes externos de la palabra, todos ellos mantienen las propiedades léxicas y gramaticales que les son propias y dejan a su vez traspasar los rasgos morfoléxicos de la base. Así, en las palabras flexionadas —a diferencia de las derivadas— la base y los distintos afijos pueden proyectarse en la oración independientemente si bien de manera simultánea (vid. Reuland: 1988).

En la teoría sintáctica generativa actual, los morfemas flexivos del verbo, p.e., se analizan en un nivel abstracto de representación como entidades sintácticas separadas; concretamente, se consideran categorías funcionales que pueden tener proyecciones máximas y constituir, por tanto, sus propios sintagmas. Dichas categorías funcionales pueden realizarse como afijos flexivos soldados a la base verbal («toma-*ba-n*»), como piezas léxicas indepenientes («*ha* tomado») o, incluso, carecer de representación fonológica («morfema cero») . Desde el punto de vista semántico, la característica señalada confiere a los morfemas flexivos cierto estatuto de independencia con respecto de la base de tal manera que son susceptibles de una interpretación semántica general de carácter composicional con independencia del contenido léxico de la base a la que se añadan. En esta particularidad descansa justamente el concepto de paradigma «ejemplar», esto es, la posibilidad de encerrar los cambios flexivos de una palabra en modelos de conjugación o declinación.

4.8.2. Flexión verbal

Señala Comrie (1983) la tendencia en las lenguas del mundo a tener una morfología verbal más rica que la nominal debido, muy posiblemente, al hecho de que el verbo, como núcleo del predicado, es el que mayor número de funciones recoge.

Debemos, una vez más, separar claramente las marcas flexivas de las categorías gramatico-funcionales que encierran y de las categorías conceptuales que expresan. P.e., la marca morfemática -*e*- en «am-*e*-s» puede interpretarse como la manifestación del modo subjuntivo; a su vez, tal «modo» expresa la noción de irrealidad, improbabilidad... Entre estos tres aspectos no existe necesariamente biunivocidad. Así, p.e., el número es una propiedad de las cosas y, por tanto, una categoría de los nombres y de los pronombres que, no obstante, se realiza (gramaticaliza) en español como una marca morfológica del verbo. En otras lenguas, el número se puede interpretar como una categoría inherente al verbo, enlazada con su estructura semántica y expresada mediante supleción del tema u otros medios morfológicos productivos (cfr. págs. 71-2). Esto es, algo parecido a lo que ocurre en español con el «número dual» el cual no se expresa mediante un morfema gramatical sino léxico («ambos»).

La mayoría de las segmentaciones y clasificaciones morfológicas del verbo español (vid. Stockwell *et alii*: 1965, Roca-Pons: 1966 o Academia: 1973) coinciden en distiguir tres porciones morfemáticas diferenciadas: *base lexemática + vocal temática*, *morfema de T(iempo)/M(odo)* [o Tiempo/Aspecto] y *morfema de N(úmero)/P(ersona)*. Esto es, aparte del tema verbal, un constituyente temporal y otro de concordancia que expresan cada uno, en una amalgama («sincretismo»), dos morfemas flexivos distintos. Las divergencias más notables surgen en relación a la identificación de tales morfemas con morfos específicos. Daremos, simplemente, dos ejemplos de ello:

(34)

Base	V^t	T/M	N/P	
habl	e	ϕ	s	(Stockwell *et alii*)
habl	ϕ	e	s	(Roca-Pons)

Antes de nada, es importante hacer notar que los afijos flexivos, al igual que veíamos en el caso de los derivativos (cfr. Cap. 2), componen una estructura jerárquica. Esta no es, sin embargo, tan obvia como en el otro proceso morfológico de afijación: no tenemos el recurso inmediato a la interpretación semántica para dilucidar el abarque de un afijo concreto ni podemos basarnos en propiedades de subcategorización debido a que los morfemas flexivos no son morfemas léxicos, dotados de categoría gramatical propia, sino que son morfemas gramaticales —como ya se ha dicho— que expresan categorías funcionales. Otra dificultad añadida es la existencia probada de morfemas-ϕ, de morfemas-vacíos y de fenómenos morfofonológicos de sincretismo, todos ellos factores que afectan a la correspondencia morfema $\approx$ morfo y dificultan, en consecuencia, la determinación de la configuración estructural de la palabra flexionada.

Es posible, con todo, comprobar mediante otros procedimientos la dependencia —mayor o menor— de unos y otros morfemas flexivos respecto de la base léxica así como las relaciones de dominio o subordinación que mantienen entre sí los propios morfemas flexivos. P.e., los morfemas de concordancia (N/P) del verbo español dependen de cuáles sean los temporales (T/M), cosa que se refleja, en ocasiones, en una diferencia fonológica: 1.ª pers. n.º sg. pres. *am-**o*** vs. (misma pers. y n.º) fut. *amar-**é***. La vocal temática, por su parte, está léxicamente seleccionada por la base la cual, en el caso de que haya sufrido derivación, no se corresponde con la raíz verbal pues es el último sufijo el que impone la clase conjugacional, como se demuestra en los ejemplos siguientes:

(35)

1.ª abland-a-r → 2.ª rebland**ec**-e-r
2.ª com-e-r → 1.ª com**isc**-a-r
3.ª dorm-i-r → 1.ª dorm**it**-a-r

Las distintas ordenaciones morfemáticas propuestas a las que antes hacíamos alusión (cfr. ex.(34)) dependen en más de una ocasión del destino que se le dé a la llamada «vocal temática»; los casos de (35), el hecho de que la vocal temática se pueda aprovechar para fines derivativos (como en el caso de algunos parasintéticos: *abarat-**a**-r*, en deverbales: *cant-**a**-ble* vs. *pon-i-ble*, etc.) o, incluso, dependa su aparición de la selección del sufijo (*deten-φ-ción* vs. *deten-i-miento*, p.e.) hacen pensar que la vocal temática en la conjugación verbal es parte de la base lexemática y no expresión de categorías funcionales. Observaciones como éstas que hacemos aquí y otras varias que se han aducido han llevado a proponer, desde la morfología, distintas representaciones; la que reproducimos a continuación es una de ellas (vid. Alcoba: 1968):

(36)

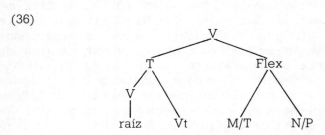

Tal representación se justifica, en el trabajo citado, en atención a las condiciones de buena formación de la morfología, como son las de «adyacencia» y del «átomo», así como a la noción de «mando-c(onstituyente)» que rige en las relaciones de mando y dominio entre los constituyentes oracionales.

Estos datos, de carácter morfológico, parecen corresponderse con otros de orden sintáctico (vid. Pollock: 1989) los cuales han llevado a postular un nivel abstracto de representación del Sintagma Inflexión según la estructura jerárquica que se recoge en el esquema de (37):

(37)

```
            SConc
           /     \
         SN      Conc'
                 /    \
              Conc    ST
                     /  \
                    T    SV
                         |
                         V
```

5.
Composición

5.1. Introducción

5.1.1. Composición y derivación

La composición es, como la derivación, un procedimiento léxico de creación de nuevas palabras. Desde el punto de vista formal, difiere, en cambio, de los procesos de afijación donde se produce la anexión de un elemento no independiente a otro independiente. En la composición, se unen o se combinan dos o más formas libres (X^0) para constituir una forma compleja la cual, desde el punto de vista significativo, fónico y funcional, representa una unidad léxica del nivel X^0. A veces, sin embargo, el criterio formal de distinción basado en la condición de «forma libre» de los constituyentes del compuesto se muestra insuficiente debido al hecho de que, en lenguas como la española, se suelen reconocer como compuestos palabras formadas por la unión de dos temas ($[[logo]_T[peda]_T]_P$) o de una palabra y un tema ($[[soli]_P[loquio]_T]_P$, $[[filo]_T[soviético]_P]_P$) y esta unidad morfológica —el tema— es, como ya dijimos en el Capítulo 2, una forma ligada. Una vez que el criterio formal de distinción falla, no es extraño que algunos autores (vid. Bustos: 1966) se pregunten, con toda lógica, por qué las gramáticas españolas suelen agrupar un nombre como *televisión* entre los compuestos y un adjetivo como *architonto* entre los derivados. La respuesta, para algunos, estaría en razones de carácter estilístico, como el «valor expresivo», de distinto grado en el compuesto y en el derivado, o en la «motivación semántica», supuestamente más intensa en los compuestos

97

que en los derivados. Resulta, con todo, más distintivo fijarse en la libertad combinatoria de los temas frente a la de los afijos. En efecto, los temas suelen aparecer en distintas posiciones de la palabra («*filosofía*» vs. «*biblio-filia*» p.e.), no así los afijos, que se especializan como «prefijos» (*archi-*, *anti-*, *re-*, *pre-*...) o «sufijos» (*-mente*, *-ción*, *-dad*, *-ble*...). Además, los temas pueden suministrar palabras mediante la simple derivación: *loqu(io)* → *locuaz*, *locutorio*, *locución*; *log(o)* → *lógico*, *logical*, posibilidad ésta vedada a los afijos (**pre+ción*, **re+ble*...).

En la distinción entre derivación y composición es frecuente también apelar a diferencias de carácter fonológico: las partes que se combinan en el compuesto eran, antes de soldarse entre sí, entidades fonológicamente independientes y así ocurre que algunos compuestos conservan restos de la primitiva condición de sus componentes como palabras dotadas de acento propio; p.e., la presencia de diptongo en el primer constituyente de un compuesto como *cuentagotas* (cfr. *contár* vs. *cuénto*) es un vestigio inequívoco del acento que caracterizaba primitivamente a este morfema cuando era palabra independiente. Ahora bien, como es sabido, hay formas que clasificamos entre los derivados que también revelan señales del mismo tipo: *buenaménte* (vs. *bon-dád*), *ciertaménte* (vs. *cert-éza*), p.e.

Con todo, la caracterización del compuesto se ha basado, fundamentalmente, en criterios sintácticos. Los compuestos, en efecto, tienen una estructura semi-sintáctica de la que no pocas veces se ha intentado sacar provecho en la explicación gramatical; en realidad, toda teoría de «descomposición léxica» suele partir, más o menos explícitamente, de la suposición de que ciertos vocablos tienen una estructura interna que refleja la estructura interna de las oraciones y los sintagmas (vid. Lyons: 1977). Así, es frecuente leer en las gramáticas tradicionales que los compuestos del tipo *sacacorchos* tienen una estructura «sintáctica» equivalente a una cláusula de relativo (= «que saca corchos»). También se ha comparado la relación entre los constituyentes del compuesto y el orden de palabras básico de una lengua distinguiendo entre compuestos «sintácticos» y «asintácticos» (vid. Bloomfield: 1933), según respetaran o no el orden canónico oracional, respectivamente. Sin embargo, no es hasta la gramática generativa, en su versión «transformacionalista» (cfr. Cap. 7), cuando la similitud entre compuesto y estructura oracional se constituyó en la base formalizada de la explicación del primero. Baste mencionar el trabajo de Lees (1960) donde aparecen analizados los compuestos del inglés de una manera sistemática —y casi exhaustiva— desde un planteamiento transformacionalista, aunque también es preciso recordar las críticas que ha recibido este tipo de análisis, hoy ya abandonado dentro de la gramática generativa (vid. Chomsky: 1970 y, desde la morfología, Allen: 1978).

Veamos algunas diferencias más precisas de orden morfotáctico entre el compuesto y el derivado.

a) El compuesto tiene una estructura sintáctica de dependencias que puede ser descrita en términos de relaciones temáticas; esto es, la relación del tipo de Agente, Tema, Meta, Locativo... que mantiene un argumento con el núcleo predicativo del que depende (vid. Gruber: 1965, Jackendoff: 1972) . Los elementos que intervienen en los compuestos tienen a menudo estructuras argumentales léxicas que han de ser satisfechas cuando se insertan en la estructura vocabular, esto es, cuando se convierten en constituyentes de un compuesto. No obstante, a diferencia de lo que ocurre en la derivación, los constituyentes del compuesto rellenan posiciones de argumento, no la absorben, como es, en cambio, el caso de los sufijos derivativos (recuérdense Cap. 2 y 4).

(1)
a. (derivación) [emplea-do_{Tema}]$_N$, [escri-tor_{Agente}]$_N$ ...
b. (composición) lava$_V$ [____ SN]$_{Tema}$, vajillas$_N$ → [lavavajillas]$_N$

Así como la relación entre el núcleo sufijal y el constituyente-base es una relación compositiva, esto es, el sufijo y la base forman un predicado complejo (cfr. Cap. 2, p. 41), el núcleo del compuesto se puede relacionar con el otro constituyente no-núcleo por medio de la asignación de papel temático, de tal modo que la relación entre ambos sea de predicado-argumento.

Esta ha sido una vía de investigación muy fructífera dentro de la morfología generativa; me refiero, concretamente, a la que se ocupa de establecer la relación entre los elementos del compuesto y los marcos temáticos de sus constituyentes (vid. Allen: 1978, Roeper y Siegel: 1978, Selkirk: 1982, Lieber: 1983, Botha: 1984, DiSciullo y Williams: 1987). A través de la teoría de los papeles temáticos —necesaria, por razones independientes, en sintaxis— y su interrelación con otros principios específicos de la morfología, se intenta dar cuenta de los compuestos posibles en las diversas lenguas del mundo. En el parágrafo 3, presentaremos un análisis de un tipo de compuestos del español dentro de esta línea de investigación.

b) Se ha observado (vid. Lieber: 1983, DiSciullo & Williams: 1987) que en el caso de la sufijación, pero no en el de la composición, un argumento del constituyente no-núcleo puede formar parte de la estructura argumental de la palabra entera. De ahí el contraste entre (2a) y (2b) del inglés o (3a) y (3b) del español:

(2)

ing.   a.   (derivado) a *baker* of bread (lit. «un panadero de pan»)

     b.   (compuesto)* a *bake man* of bread (lit. «un hombre-que-asa pan»)

(3)

    a.   (derivado) *buscador* de tesoros

    b.   (compuesto) *cuarto de estar en calma

En el caso de los compuestos, el elemento léxico que no es núcleo no deja traslucir fuera de la construcción léxica superior sus posibilidades de expansión sintáctica. Los derivados se clasifican, significativamente, como de-verbales, de-adjetivales o de-nominales porque la base en la que se asientan configura de modo determinante su comportamiento sintáctico y su contenido semántico. En el caso del compuesto —como veremos en el parágrafo 3—, el constituyente no nuclear acota o delimita el significado del núcleo, mientras que en el del derivado el resultado es fruto de una verdadera función compositiva.

c)   Por otra parte, si un compuesto está formado por un elemento léxico con estructura argumental —tal como un verbo o un deverbal—, ésta ha de satisfacerse internamente (bien de manera manifiesta, bien a través de un elemento elíptico recuperable) pues, de lo contrario, la formación no será buena (4a). En el caso del derivado deverbal, en cambio, la presencia del argumento interno es totalmente opcional (4b):

(4)

    a.   (compuesto) [[para]$_{Ndev}$ *([brisas]$_N$)]$_N$

    b.   (derivado) [[escri]$_V$ tor]$_N$ (de novelas)

d)   Igualmente, es posible detectar cierta diferencia entre derivados y compuestos con relación al control que pueden ejercer sobre cláusulas finales. Determinados derivados, como el participio pasado de la pasiva (vid. Jaeggli: 1986) o los nominales de acción (5a), pueden regir cláusulas finales porque contienen un agente implícito. No parece ser éste el caso de los compuestos (5b):

(5)
a. la *edificación* de un asilo [para acoger a los ancianos sin hogar]
b. *el *limpiabotas* [para no morirse de hambre]

Sin embargo, la situación de los compuestos no es la misma en todas las lenguas; en inglés, según parece (vid. Roeper: 1988), los compuestos cuyo segundo elemento, deverbal, aparece sufijado con -*ing* pueden ejercer el control; no así los compuestos temáticos, de modo que el sintagma de 6a. es gramatical pero no el de 6b.:

(6)
a. the *broadjumping* to make oneself famous
   («el realizar el salto de longitud para hacerse famoso»)
b. *the *broadjump* to...
   («el salto de longitud para...»)

5.1.2. Composición e incorporación

La incorporación es un fenómeno morfosintáctico que engloba una variedad de procesos de aparente cambio de función gramatical con consecuencias para la morfología. La incorporación consiste técnicamente en el movimiento de una categoría léxica (X^0) dentro de otra categoría por el que se crea una categoría léxica compleja, tal como muestra el ejemplo del onondaga, lengua amerindia (*apud* Baker: 1988b), de (7):

(7)
a. Pet wa?   - ha   - **htu**   - ?t   - a? ne? o - **hwist** - a?
   Pat PASADO - 3MS/3N - perder - CAUS - ASP el   PRE - dinero - SUF
   («Pat perdió el dinero») ⟨M=masc, S=sujeto, N=neutro⟩
   (el nombre-objeto o tema, «hwist», aparece como palabra independiente, núcleo de su propio sintagma)

b. Pet wa?   - ha - **[hwist - ahtu]**   - ?t   - a?
   Pat PASADO - 3MS - [dinero - perder] - CAUS - ASP
   («Pat perdió dinero»)
   (el nombre-tema, «hwist», se incorpora al verbo, «(a)htu», formándose un verbo complejo)

Las dos oraciones de (7) son «paráfrasis temáticas» una de la otra; los mismos papeles temáticos y las mismas restricciones seleccionales relacionan el mismo verbo con el mismo nombre (Baker: *op.cit.*, p.77).

En palabras de Baker, la incorporación tiene dos tipos de consecuencias para una estructura lingüística: *a*) crea una categoría compleja del nivel X⁰, esto es, produce una entidad morfológica compleja, y *b*) crea un enlace entre dos posiciones del marcador sintagmático, esto es, produce un efecto sintáctico. El elemento movido deja una huella (h) en su posición de origen con la que, dicho de manera no técnica, se mantiene ligado del modo que determinan los principios generales de la sintaxis; esto es, la huella está propiamente regida por su antecedente (vid. Chomsky: 1981).

Dado que el proceso de incorporación puede, en algunos casos, confundirse con lo que entendemos en una lengua como la española por composición, se hace necesario decir dos palabras sobre la diferencia entre ambos procesos. En esta breve comparación, seguiremos principalmente a Baker (1988a y b).

Por lo pronto, la composición es un proceso léxico gobernado por los principios de la morfología; la incorporación, por el contrario, es un proceso sintáctico, esto es, la pieza léxica compleja se crea en la sintaxis como resultado del movimiento de una categoría léxica. Parece que la incorporación está limitada a formaciones verbales, típicamente a aquellas en las que el nombre-tema o «paciente» se fusiona con el tema verbal (vid. Bybee: 1985), si bien se analizan también como un caso de incorporación otros fenómenos de algunas lenguas en los que se da unión de dos temas verbales o de un verbo y una preposición. Se ha resaltado también el hecho de que, característicamente, las piezas léxicas formadas por incorporación están sometidas a restricciones semánticas muy precisas con respecto al tipo de argumento que puede incorporarse. Bybee (*op.cit.*) pone el ejemplo del pawnee donde se forman estas piezas léxicas complejas incorporando, de manera regular y productiva, partes del cuerpo, fenómenos naturales y productos de consumo; los llamados compuestos no estarían afectados por tales restricciones de índole semántica, del mismo modo que tampoco se forman de manera regular y productiva (cfr. esp. *perniquebrar* o *aliquebrar* vs. **maniquebrar* o *maniatar* vs. **perniatar*) . Se ha observado, igualmente, que los elementos que entran en un compuesto, si son nombres, tienen obligatoriamente una interpretación genérica, no referencial (cfr. Cap. 3 y Cap. 7), como muestran los ejemplos, imposibles, de (8):

(8)
a.　el [lava(*mis/*las/*estas..)vajillas]
b.　*este [abrelatas] *las* (=latas) deja un poco melladas

Las formas incorporadas no estarían sujetas a esta limitación. Las estructuras de incorporación nominal son «referencialmente transparentes», de modo que el N incorporado puede tener un referente específico y desempeñar un papel activo en el discurso. Este hecho no contradice la hipótesis de la palabra como «isla» o «átomo sintáctico», a la que nos referimos en el Capítulo 2, pues la referencialidad de los nombres incorporados (frente a la no-referencialidad de los que se forman por composición) puede justamente explicarse por su relación con un SN pleno fuera de la construcción verbal compleja pero dentro del SV. Es típico de las lenguas polisintéticas, p.e., que un N se incorpore a un V y deje atrás su especificador, creando una dependencia semántica discontinua. Por la misma razón de su origen sintáctico, un elemento incorporado en la pieza léxica compleja puede doblarse fuera de ella, esto es, en la sintaxis, mediante la repetición del mismo nombre (9a) o de otro con su mismo papel temático (9a'), cosa imposible en los compuestos (9b):

(9)
a. (mohaqués)   [*nuhs*-nuhwe?] thikv ... *nuhs*...
casa-gustar   esta   casa
(«Me gusta esta casa»)
⟨Se repite el nombre incorporado⟩

a'. (mohaqués)   *rabahbot* ... [*tsy*-ahni:nu] ...
anguila   pez-comprar
(«Compró anguilas»)
⟨Se repite un nombre más concreto, perteneciente al género del nombre incorporado⟩

b.   el [[abre][coches]$_{Tema}$] (*de ese camión$_{Tema}$)

Tampoco se da con el compuesto la relación que veíamos en (7) entre una estructura sintética, con incorporación nominal (7b), y su contrapartida analítica (7a). Si bien en algunas lenguas, como el inglés, se pueden crear —de forma limitada— verbos complejos con nombres adjuntados, las estructuras en las que éstos se realizan (10a) no se corresponden con aquellas otras en las que el nombre adjuntado aparece desligado (10b):

(10)
a. ing.   I *babysat* for the Gómez last week
(«Hice-de-canguro para los Gómez la semana pasada»)

b.   *I sat the baby ...

5.1.3. Palabra compuesta frente a sintagma

Las palabras compuestas tienen las características propias de toda palabra, como son:

a) La **indivisibilidad**, por la cual sus constituyentes no pueden separarse (11a), ni recibir, aisladamente, un modificador o complemento (11b):

> (11)
> a. *no es un *mal* —que yo sepa— *hechor*
> b. *es un *lava*vajillas bien

b) El **orden fijo** de sus constituyentes:

> (12)
> *vozalta, *azulblanco, *veniva...

Es sabido que algunos sintagmas, las llamadas «frases hechas», presentan muchas similitudes con los compuestos: tienen un significado único, a menudo lexicalizado (*a pies juntillas* = «con los pies juntos» → «firmemente, con seguridad»), presentan sus constituyentes bajo una forma inalterable (*a tonta/o y a loca/o*) y en un orden fijo (*a locas y a tontas*) y no permiten la inserción de material léxico (*en un abrir y cerrar de (*los bellos) ojos*). Sin embargo, no son, como los compuestos, palabras, esto es, unidades del nivel X^0, sino sintagmas, o $X^{máx}$. Por esa razón, puede ocurrir que tengan referencia anafórica externa, como en el ejemplo del francés de (13), donde el clítico partitivo *en* se ha extraído de la frase (*apud* DiSciullo & Williams: 1987):

> (13)
> fr. *en*   voir de toutes les couleurs
>   de ello ver de todos los colores («vérselas moradas»)

c) Es característico de los compuestos que supriman las marcas de flexión internas:

> (14)
> a. Latin**o**américa (vs. «América latin**a**»)
> b. al. Rotwein = «vino tinto» (vs. «rot**er** Wein»)

c. fr. grand'mère [grã mɛ:r] = «abuela» (vs. «grande maison» [grãd mezõ]=«gran casa») (*apud* Bloomfield: 1933)

Bloomfield señala como otra de las diferencias entre compuesto y frase hecha que el primero reciba las marcas flexivas en su conjunto y el segundo solo en aquel constituyente al que corresponden por su categoría léxica. P.e., en alemán se pueden producir compuestos formados por N + V, con la misma estructura que un sintagma formado por SN + SV; sin embargo, en el primer caso, las marcas flexivas del participio de pasado (*ge...t*) se colocan en los límites externos del compuesto: [**ge** [[lieb]$_N$[kos]$_V$]$_V$ **t**]$_V$ = «acariciado»; en el segundo, flanqueando al tema verbal: lieb$_N$ [**ge** [hab]$_V$ **t**]$_V$ = «tenido cariño».

d) Otras diferencias son de índole morfofonológica. Los compuestos se pueden formar con temas, esto es semi-palabras no habilitadas para entrar en la sintaxis. Presentan, característicamente, alomorfos especiales: *cab**iz**bajo* y se ajustan a las reglas de «sandhi» interno que rigen en el interior de palabra pero no entre palabras: fr. *vinaigre* [vin-ɛgr] = «vinagre» vs. *vin aigre* [vɛ̃ ɛgr] = «vino agrio» (*apud* Bloomfield: *op.cit.*).

5.2. Tipos de compuestos

Los compuestos, como toda palabra compleja, tienen una estructura interna tal que la relación entre sus constituyentes no es puramente lineal sino jerárquica; esta estructura se basa en gran medida en las relaciones de dependencia que mantienen las categorías léxicas entre sí. En el ejemplo de (15), tenemos un primer constituyente nominal, de origen deverbal («parla»), núcleo del compuesto, al que se adjunta un nombre («latin(i)»); este nuevo constituyente complejo recibe un adjetivo («culta») para constituir un nuevo nombre formado por N+A, uno de los tipos de compuestos posibles en español:

(15)

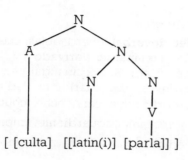

[[culta] [[latin(i)] [parla]]]

En el estudio de los compuestos de una lengua interesa, por tanto, describir las categorías léxicas que pueden combinarse, así como la relación estructural que componen entre ellas. La finalidad de esta clase de descripciones es restringir el tipo de relación semántica y sintáctica entre el núcleo y el no-núcleo del compuesto de tal modo que las reglas de producción léxica no generen compuestos imposibles. Actualmente, se piensa que tal objetivo puede alcanzarse sobre la base de ciertas restricciones gramaticales generales las cuales interactúan decisivamente con principios de la estructura léxica.

5.2.1. Combinaciones léxicas en los compuestos del español

Por lo pronto, en español, al igual que en el resto de las lenguas, no hay compuestos morfológicos que manifiesten relaciones distintas de las permitidas en la sintaxis de la lengua. Así, observamos tres posibilidades de relación entre los constituyentes del compuesto: *a)* un elemento léxico satisface la estructura argumental de otro elemento léxico en términos de papeles temáticos («limpia**botas**», «**perni**quebrar»); *b)* un elemento complementa o modifica a otro elemento («boca**calle**», «guardia **civil**», «**bien**hechor»), y *c)* dos o más elementos léxicos de la misma categoría se yuxtaponen o coordinan («**sordomudo**», «**carricoche**»). Los dos primeros tipos suelen denominarse «compuestos subordinantes»; el último, «compuesto coordinante». En la tradición anglosajona, aquellos compuestos en los que un elemento verbal o deverbal, núcleo del compuesto, va acompañado de un argumento se denominan «compuestos sintéticos» y los que no contienen ningún tema verbal, «compuestos primarios».

Todas las categorías léxicas pueden entrar en composición en español: N, V, A, Adv y Prep; las categorías léxicas resultantes, en el español moderno, pertenecen a una de las tres principales: N, V, A. A continuación, incluimos una clasificación de los tipos de compuestos más frecuentes del español:

(16)
a. **N** → N N: *Subordinantes*
  i) **De núcleo deverbal**: guardagujas, cuentadante, misacantano
  ii) **De núcleo nominal no derivado**
    a) *Especificativos*: bocamanga, pezuña, ojo de buey
    b) *Apositivos*: casa cuartel, ciudad dormitorio
      Coordinantes: carricoche, coliflor

b. **N** → N A: camposanto, aguardiente, puertollano

c. **N** → A N: mediodía, vanagloria, malhumor, altavoz, bellas artes

(17)

a. **V** → N V: maniatar, manuscribir, aliquebrar

b. **V** → Adv V: maldecir, malcomer, bienpensar

⟨obsérvese que es ésta la única categoría principal que no combina dos constituyentes de su misma categoría: *V V. En otras lenguas, se ha constatado la misma restricción. Así, en inglés (vid. Kiparsky: 1982), en la estructura [Y Z] X , si Y = = V(erbo), Z ≠ V; si Z = V, Y ≠ V y si Y = V, Z = N, Adv o A; si Z = V, Y = N, Adv o A. Tal restricción podría derivarse del criterio temático ya que, al no poder interpretarse un V como argumento de V, no habría forma de satisfacer los requisitos argumentales de uno y otro constituyente verbal⟩

(18)

a. **A** → A A: sordomudo, agridulce, blanquiazul

b. **A** → N A: pelirrojo, boquiancho, cabizbajo

c. **A** → Adv A: bienhechor, malhechor, malsano

La preposición (Prep) se puede combinar con cualquiera de las tres categorías mayores: N = *sobre-dosis, contra-danza, entre-acto,* V = *sobre-dimensionar, contra-decir, entre-sacar* y A = *sobre-abundante, contra-chapado, entre-medio.* Es posible sostener que en estos casos no estamos ante un proceso de composición sino ante un proceso derivativo. Como es bien sabido, en español, preposición y prefijo coinciden en muchos casos. Para algunos autores, los prefijos propiamente dichos son aquellos que no tienen uso fuera de la derivación, esto es, que no son separables: *an-, a-, abs-, ad-, trans-, di-, ex-*...; las palabras constituidas por tales morfemas se considerarían derivadas y las que contienen preposiciones separables, compuestas. Tal decisión no parece, sin embargo, oportuna por diversas razones. P.e., el prefijo *en-* que aparece en *en-caminar* tiene otras realizaciones (alomorfos) como son *in-* e *im-*: *in-scribir, im-poner.* La primera manifestación de este morfema (*en-*) coincide con la preposición, es forma separable, y —de acuerdo con lo dicho anteriormente— sería parte de un compuesto; las otras dos (*in-, im-*) sólo se realizan en unión de una base léxica y, en consecuencia, tendrían que ser consideradas parte de un derivado. Incluso existen dobletes que habría que clasificar de dos maneras distintas, como, p.e., *super-valorar* (derivado), frente a *sobre-valorar* (compuesto). Además, según pudimos observar en los ejemplos de (16), (17) y (18), las categorías mayores presentan gran movilidad en su combinatoria, no así la Prep que siempre aparece delante, en posición prefijal. Otra cosa es lo que ocurre en una lengua como la inglesa donde puede haber combinaciones muy productivas de V + Prep, verdaderos compuestos. Sea cual sea la solución que se dé a estos casos del español, habría que relacionarlos necesariamente con las *formaciones parasintéticas* constituidas —como sabemos (cfr. Cap. 3)— por prefijación (o Prep) y sufijación.

5.2.2. El núcleo del compuesto: compuestos endocéntricos y exocéntricos

Como dijimos en el Capítulo 2, partimos de la hipótesis de que las palabras complejas, al igual que los sintagmas, están dotadas de un núcleo; son construcciones endocéntricas. En las palabras derivadas mediante sufijación éste se halla a la derecha, lexicalizado en el sufijo que impone su categoría sintáctica y demás rasgos subcategoriales y seleccionales. En el caso de los compuestos, el núcleo se marca posicionalmente para lenguas como la inglesa donde, salvo alguna excepción, parece encontrarse siempre a la derecha de la construcción léxica, como en los casos de sufijación. En español —según puede comprobarse por los ejemplos de (16), (17) y (18)— no es posible identificar el núcleo con una posición determinada. Así, en el caso de *guardiamarina*, un N, el núcleo (*guarda*) está a la izquierda pero en el de *mediodía*, otro N, está a la derecha (*día*). Como ya se dijo, el núcleo en morfología se identifica con aquel constituyente que impone sus rasgos categoriales a la entidad léxica superior y puede ser capaz de reemplazarla (vid. Zwicky: 1984); desde este punto de vista, no existen en español más que compuestos endocéntricos (cfr. parágrafo 3). Sin embargo, hay otra noción, semántica, de núcleo según la cual la palabra compleja ha de permitir una lectura composicional de modo que la entidad resultante sea una subclase de la entidad-núcleo; desde este punto de vista, todos aquellos compuestos «opacos», esto es, fuertemente lexicalizados, se consideran exocéntricos: *piel roja* (no es un tipo de «piel»), *verdedoncella* (no es una suerte de «doncella»), *aguamarina* (no es una clase de «agua»)...

5.3. Algunos compuestos nominales del español

5.3.1. Composición nominal y estructura temática

Uno de los compuestos más estudiados del español es el del tipo «guardagujas» o «lavaplatos», esto es, los que se describen generalmente como compuestos de «verbo + sustantivo» o de «verbo + objeto directo». Es ésta una formación léxica muy productiva en el español actual, altamente regular desde el punto de vista sintáctico, al igual que desde el semántico. Se trata del tipo de compuestos que Bloomfield denominaba «sintácticos» debido a que, aparentemente, sus miembros contraen entre sí la misma relación gramatical que las palabras dentro del sintagma. La mayor parte de las veces, o bien son *agentivos*, de donde se derivan nombres de oficios u ocupaciones («guardagujas», «limpiabotas»...) con sus posibles extensiones figurativas y metafóricas a apelativos burlescos o despreciativos, motes o apodos («metepatas», «aguafiestas»...), o bien son *instrumentales* («lavavajillas») que devienen *utensilios* («paraguas») y, en menor medida, *locativos* («guardarropa»).

Tales compuestos suelen interpretarse como formaciones exocéntricas, con un primer constituyente verbal. En (19), reproducimos uno de los últimos análisis que se han propuesto dentro de esta línea (Contreras: 1985):

(19)

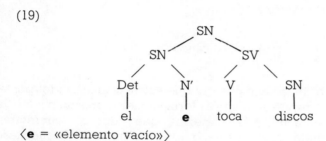

⟨**e** = «elemento vacío»⟩

Es evidente que si este tipo de composición, siempre nominal, tiene que recibir sus rasgos categoriales e inherentes del núcleo del compuesto, éste no puede ser el segundo elemento que aparece en tales formaciones ya que, a pesar de ser un nombre, presenta a menudo rasgos no concordantes con el nombre compuesto final. Por ejemplo, el nombre *limpiabotas* es [+masc], [+hum], [αsg], mientras que *botas*, el segundo elemento del compuesto, es N [−masc], [−hum], [−sg]. El primer constituyente, que se etiqueta como [+V], tampoco es un candidato potencial a núcleo ya que el compuesto final es siempre un nombre. De ahí que Contreras (op.cit.), como también otros para distintas lenguas romances con el mismo patrón léxico (vid. para it., Scalise: 1984 y para cat., Mascaró: 1986), consideren que, por eliminación, el núcleo ha de postularse fuera del compuesto.

Tener que admitir que existen formaciones tan regulares y productivas de carácter exocéntrico constituye un punto débil en la teoría pues, por lo común, los compuestos morfológicamente transparentes, esto es, composicionales, se comportan como sus núcleos; de manera general, denotan un subconjunto de aquellas entidades significadas por el núcleo. En los compuestos bajo análisis, el primer elemento hace referencia a un proceso que expresa una actividad o implica una función y que aparece complementado con un segundo constituyente donde la actividad o la función referidas se restringen con mayor precisión. P.e., el proceso de «limpiar» se especifica más precisamente con el complemento «cristales»: *limpiacristales*, con el complemento «chimeneas»: *limpiachimeneas*, u otros. El proceso de «lavar» se puede complementar por medio de «platos», «coches», etc. Es decir, el referente de tal compuesto viene expresado por la acción implícita en el primer elemento, restringida, a su vez, por el segundo elemento. Exactamente lo que se espera de una construcción endocéntrica. Los compuestos exocéntricos, por su parte, son «singulares», constituyen formaciones fosilizadas, completamente idiosincrásicas y con referentes específicos. Aunque se dé en ellos identidad categorial entre uno de los constituyentes y el compuesto final —el nudo superior— ,éste no es proyección del nudo inferior:

(20)
[[piel]$_N$ [roja]$_A$]$_N$ = «indio americano»

Lo característico de los compuestos que estamos analizando, por el contrario, es que se repita en distintas formaciones el mismo núcleo ya que en él se señalan actividades genéricas que luego se concretarán por medio del segundo constituyente, que es lo cambiante. Recuérdese el gran número de estos compuestos encabezados por *cubre*, *para*, *guarda*, *mata*, p.e.

Parece, pues, más correcto tratar estos compuestos como formaciones endocéntricas; en concreto, suponemos (vid. Varela: 1987) que todos los compuestos regulares de este tipo tienen como primer constituyente un N deverbal con el papel semántico de Actor de un acontecimiento, en el sentido de Sproat (1985), donde «actor» se entiende como el representante de algún tipo de «agentividad» que puede manifestarse bien como Agente bien como Instrumento. La estructura interna de estos compuestos es, en nuestra opinión, la siguiente:

(21)

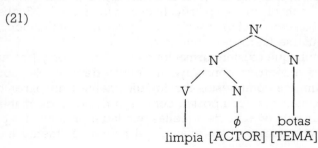

Este tipo de compuesto se caracteriza por el hecho de que sus constituyentes establecen entre sí una relación de núcleo-complemento. Tal relación predicativa, sin embargo, no se expresa a través de una dependencia de carácter gramático-funcional, como pueda ser la de «verbo+objeto directo», sino en virtud de la relación temática que se establece entre ellos. Tales argumentos ocupan posiciones-θ pero no posiciones sintácticas a las que pueda corresponder una función gramatical. El primer elemento se constituye en núcleo por su propia condición morfológica: es un N de origen verbal que puede desplegar estructura temática; el segundo elemento recibe su papel temático en virtud de su dependencia del primero para lo cual tiene que estar obligatoriamente adyacente a él. Dicho de otra manera, el constituyente no-nuclear es interpretado como argumento del núcleo nominal, con el que contrae una relación temática. De hecho, creemos que éste es el único compuesto del español en que tal relación argumental se produce con toda claridad y en toda su extensión.

El primer elemento que, como ya he dicho, es, en mi opinión, un nombre deverbal (ND), lexicaliza el papel temático de Actor o inductor de la acción. En términos sintácticos, el argumento externo queda ligado por el nombrador derivado (vid. Boij y van Haaften: 1988). Esto explica por qué el sujeto, o argumento externo del predicado, nunca se realiza como un N manifiesto dentro del sintagma del cual es núcleo el compuesto (22a) y por qué tampoco se puede incorporar dentro de él con exclusión del objeto (22b):

(22)
a. *[[gramola]$_N$[[toca]$_V$[discos]$_N$]$_{N'}$]$_{N''}$
    (cfr. *el tocadiscos por la gramola)
b. *liebrescorren / *correnliebres

De hecho, ésta es una de las diferencias que presentan tales compuestos en relación con los nombres de acción donde, si el verbo base es transitivo, el «complemento» del ND puede ser su «sujeto» o su «objeto»: «el odio *de los enemigos*» (sujeto/objeto) frente a «odia*enemigos*» (*sujeto/objeto).

Así pues, suponemos que el papel de Agente ha quedado lexicalizado en la morfología peculiar del ND que aparece como primer constituyente de estos compuestos y, si se repitiera de nuevo dentro del compuesto, causaría la infracción del llamado «criterio-θ» (Chomsky: 1981) —en cuya versión más estricta, todo argumento tiene uno y solo un papel temático y cada papel temático se asigna a uno y solo un argumento—, ya que un Agente temático aparecería con dos representantes. Por el contrario, el papel-θ de Tema está libre y puede ser asignado a un argumento, como de hecho ocurre en estos compuestos, donde el único esquema regular y productivo es el que aparece reproducido en (23):

(23)
$$[\ [\ \text{-----} \ ]_N \quad [\ \text{------} \ ]_N \quad]_{N'}$$
$$\quad [+\text{ACTOR}] \qquad\quad [+\text{TEMA}]$$

En este sentido, el comportamiento sintáctico del compuesto es muy similar al de los NNDD agentivos. Tales nombres, ciertamente, bloquean la asignación externa de un papel-θ Agente dentro de los SSNN de los que son núcleo, como muestra el SN, agramatical, de (24):

(24)
*El escritor de novelas por Clarín

Desde el punto de vista del significado existe, igualmente, una gran similitud entre ambas formaciones léxicas, de modo que resulta, hasta cierto punto, accidental que en las lenguas románicas ciertas expresiones tengan como significante un SN con un N agentivo como núcleo o uno de estos compuestos a los que nos estamos refiriendo, tal como puede apreciarse en los ejemplos del italiano y del francés de (25), a los que pueden añadirse sus equivalentes españoles, consignados en las traducciones correspondientes:

(25)
it. contatore della luce   vs. contachilometri
     («contador de la luz»)   («cuentakilómetros»)
fr. compteur de...   vs. compte-gouttes (tours)
     («contador de...»)   («cuentagotas (vueltas)»)

(*apud* Coseriu: 1977)

Podemos, pues, afirmar que hay dos maneras en las que el nombrador agentivo puede ser subcategorizado: bien a través de la adjunción de un N, formando un bloque morfológico, el N compuesto, bien por medio de su expansión sintáctica, bajo la forma de un SP. Que ésta es una alternativa abierta a las lenguas y que no sería, por lo tanto, extraño encontrar alguna donde se realizara la primera posibilidad y no la segunda, p.e., lo prueba una lengua «incorporante» como el chichewa, donde solo es posible reproducir tal relación argumental dentro del compuesto (vid. Sproat: 1985).

Si el análisis que proponemos es correcto, es de prever que aquellos verbos que carecen de un argumento Actor (Agente o Instrumento) no suministrarán NNDD que puedan figurar en la cabeza de estos compuestos. Tal predicción parece que queda ratificada por los datos. Así, una O como:

(26)
Juan tiene a menudo fiebre

en la que «Juan» es el Tema o «paciente», esto es, no un Agente, no puede proporcionar una base adecuada para tales compuestos, de modo que (27) es, con seguridad, una formación léxica imposible:

(27)
*[el [tienefiebre]$_N$]$_{SN}$

Los verbos de «afecto» y los «psicológicos», en general, los cuales aparecen característicamente con un argumento con el papel-θ de Experimentante, tampoco parece que puedan estar en la base de tales compuestos. Tal es el caso de los ejemplos de (28):

(28)
a. los que quieren a los animales → $^{??}$los quiereanimales
    〈sí, en cambio, en la acepción de «pretender» o «intentar», esto es, con Agente. P.e.: «Es un quieretodo»〉
b. los que sienten las matanzas de las ballenas → $^{??}$los sientematanzas
c. los que consideran los riesgos de la bolsa → $^{??}$los considera-rriesgos

Queda aún por explicar el hecho de que, como norma, solo aparezca un complemento dentro de tales compuestos, complemento que —como ya se ha dicho— recibe del núcleo el papel de Tema. Si suponemos una representación como la de (21), con un ND en la cabeza del compuesto, podemos postular, de acuerdo con Randall (1982), que éste solo podrá adjuntar el primer SN-complemento (el objeto directo) u opción no-marcada, según una restricción que, aparentemente, afecta a toda forma compleja, ya sea derivada o compuesta (cfr. Cap. 7). El hecho de que no se adjunten en los compuestos elementos con otros posibles papeles-θ (Locativo, Destinatario, Origen..) podría explicarse apelando a la «teoría del caso» (vid. Chomsky: 1981). En el español peninsular, p.e., ha aparecido recientemente el compuesto *cuentacuentos*, como denominación de un aparato que contiene cintas magnetofónicas en las que están grabados cuentos infantiles, pero sería impensable que se formaa un N-compuesto como *cuentacuentosniños* en el sentido de «lo que cuenta cuentos a los niños». En el primer caso, en efecto, el primer argumento «cuentos» está temáticamente identificado por su posición adyacente al ND; en el segundo, el argumento «niños» , no adyacente al núcleo, tendría que recibir caso de una preposición, como en la variante oracional, que hiciera transparente su relación semántica con el núcleo. Como el español no permite la aparición de preposiciones asignadoras de caso en el interior de una categoría X^0 (salvo en formaciones ya no productivas del tipo *tent**em**pié*), ni la de unidades con caso morfológico (salvo, de nuevo, en casos marginales: *correveidi**le***), los ejemplos como el anterior no pueden resultar aceptables. Con respecto al tipo de elemento no-nuclear posible, Baker (1988a), más recientemente, ha señalado la obligatoriedad, también en los casos de «incorporación», de que los elementos adjuntados al núcleo de la construcción morfológica procedan de la posición de objeto de forma que la huella que dejan tras su movimiento pueda quedar gobernada por su antecedente, según requisito de la sintaxis (cfr. Cap. 7).

No obstante, no existe ningún impedimento para que los compuestos que examinamos desplieguen ramificación a la izquierda, predicción que se ve confirmada por ejemplos como el de (29):

(29)

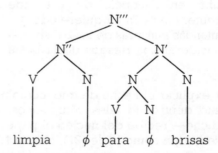

en el que un N-compuesto («parabrisas») funciona como complemento del núcleo («limpia»), constituyendo así un nuevo N-compuesto («limpiaparabrisas»).

5.3.2. Flexión y derivación del compuesto

Consideremos ahora ciertos hechos de naturaleza puramente formal que, en mi opinión, apoyan el análisis propuesto para tales compuestos.

Lo primero que hay que explicar es por qué no hay muestras, interiormente, de una marca afijal inequívoca de la condición semánti-

114

co-sintáctica del nombre deverbal, núcleo de la construcción. Hay que tener en cuenta, por lo pronto, que el español ofrece variadas pruebas de la tendencia a eliminar marcas afijales en el interior de los compuestos, de manera casi obligatoria en aquellos casos en que el afijo en cuestión es portador de los rasos flexivos de género y número.

(30)
a. *Supresión de morfología flexiva interna:*
   estado(s) - unid(os) +ense → estadounidense
   para - caíd(as) +ista → paracaidista

b. *Supresión de sufijo formal y semánticamente idéntico al más externo:*
   eléctr(ico) + doméstico → electrodoméstico
   miner(al) + medicinal → mineromedicinal

c. *Supresión de sufijo semánticamente idéntico al más externo:*
   ecuat(orial) + guineano > ecuatoguineano
   cant(ante) + autor → cantautor

d. *Supresión de «partes de palabras» de modo que el primer elemento se convierte en cuasi-prefijo:*
   euro(peo) + diputado → eurodiputado
   demó(crata) + cristiano → democristiano

La disparidad entre «forma independiente» y forma que es parte de una construcción compleja parece ser rasgo compartido por distintas lenguas. Bloomfield (op.cit.) señala como característica general de los constituyentes de compuestos de tipo «sintáctico» que presenten una apariencia formalmente distinta de aquélla que les es propia cuando aparecen como palabras independientes. Llama a estos compuestos «sintéticos», justamente por el hecho de exhibir rasgos especiales en su formación y cita, a modo de ejemplo, el N-agentivo independiente del griego *dme:té:r* («domador»), frente al N-agente *-damo-*, que solo se usa como 2.º miembro de palabras compuestas: *hippó-damo-s* («domador de caballos»), p.e. O el caso del inglés: *a blacker of boots* («un limpiador de botas»), pero *boot-black* («limpiabotas»), como N-compuesto; o *sweeper* («barrendero») frente al compuesto *chimney-sweep* (lit. «barrechimeneas», «deshollinador»). Los dobletes del español del tipo *cuentakilómetros* frente a *contador de la luz* o *cantamisa* frente a *misacantano* son casos del mismo fenómeno.

Por lo que se refiere al carácter agentivo del primer elemento, cuando estos compuestos se derivan ulteriormente, formando lo que se denomina genéricamente una construcción parasintética, toman, de manera característica, un sufijo de tipo agentivo como *-ero* o *-ista*. Se trata de casos de derivación externa o derivación de todo el compuesto como los ejemplos de (31):

(31)
[[[pica] [piedraś]] +ero] → picapedrero
[[[para] [caidaś]] +ista] → paracaidista
[[[saca] [muelaś]] +ero] → sacamolero
[[[baja] [manø]] +ero] → bajamanero

En formaciones antiguas, en las que el nombre deverbal podía colocarse a la derecha de la palabra, nos encontramos con que tal nombre aparece acompañado de sufijos derivativos, también de carácter agentivo, como vemos en los ejemplos de (32a), del español, y (32b), del catalán:

(32)
a. misacantano (vs. cantamisas), terrateniente, cuentadante (vs. dacuentas)
   ⟨y, sobre este modelo, los más modernos: estupefaciente, narcotraficante⟩
b. cat. aiguabatent, compteoïdor

Valiéndose de este mismo patrón, existen antiguas formaciones nominales que tienen también como constituyente nuclear una «forma temática», exactamente el mismo tipo de nombre deverbal que hemos postulado en el caso del patrón regular y productivo que estamos analizando si bien, en este caso, aparecen en segunda posición. Algunos ejemplos son:

(33)
manicuro/a (Col., Méx.: manicurista), sonámbulo, radioescucha, carnívoro

Es de interés para el tema mencionar, por último, que hay algunas nuevas formaciones léxicas en las que el segundo elemento de los compuestos que nos ocupan se ha elidido de manera que solo aparece el nombre-núcleo. La noción de núcleo adquiere, así, nueva dimensión: el núcleo es aquel constituyente que, como en sintaxis, tiene la misma distribución que la construcción mayor. Esta posibilidad es continuación, en época moderna, de un procedimiento ya seguido antes. Piénsese en *liga* ← *ligapierna* o *tienta* ← *tientaguja*. En la mayoría de los casos, el lugar dejado por el complemento puede ser ocupado únicamente por un nombre específico, si bien, a veces, se puede sobreentender toda una gama de nombres posibles. Véanse los ejemplos de (34):

(34)
el caza (aviones/submarinos...), el busca (personas), el limpia (botas), el marca (pasos), el pincha (discos), el guarda (bosques/agujas...), los 'okupas' (de «ocupalocales»)

En resumen, por lo que se refiere al compuesto nominal de carácter subordinante, al que suponemos dotado de «estructura temática», el español muestra los seis tipos (a, a', a'', b, b', b'') que incluimos en (35), si bien el tipo (a) es el único realmente productivo hoy día en la lengua española:

(35)
a.   (núcleo a la izquierda)   b.   (núcleo a la derecha)

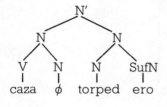   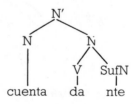

a'.   (der. int.)   b'.   (der. int.)

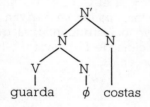   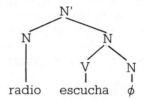

a''.   (der. ext.)   b''.   (der. ext.)

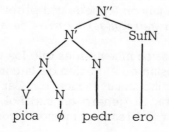   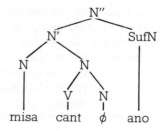

117

Según el análisis que hemos propuesto para el compuesto del tipo productivo (a), el primer constituyente, o núcleo de la construcción léxica, ha de ser responsable de los rasgos sintácticos y semánticos del compuesto en su totalidad. Sin embargo, como es bien sabido, el lugar de la flexión en morfología suele estar en uno de los márgenes de la palabra y no, necesariamente, en el núcleo (vid. Zwicky: 1984). En consecuencia, si bien los rasgos flexivos son los propios del constituyente núcleo, el lugar donde se realicen los que son sintácticamente significativos ha de estar en las capas externas de la palabra, justamente la situación que se da en el caso de los compuestos del español que estamos considerando.

Tales compuestos son, por lo general, masculinos y, en los casos productivos y regulares, bien nombres agentivos, bien instrumentales. Según hemos tratado de probar, todos estos rasgos son parte de la estructura morfoléxica del constituyente núcleo. Desde aquí se filtran a la cabeza de la palabra, según predice la «condición del átomo» de Williams (1981b) a la que hicimos mención el el Cap. 4. Tal hipótesis explicaría el hecho de que tales compuestos, cuando se derivan posteriormente, tomen sufijos de tipo agentivo o instrumental ya que los rasgos del núcleo son visibles desde la cima de la palabra, tal como trata de mostrar el diagrama que aparece en (36):

(36)

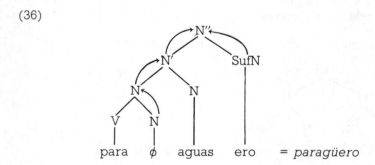

para ∅ aguas ero   = *paragüero*

Al mismo tiempo, debido a la restricción ya mencionada sobre los afijos flexivos, es de esperar que, en el proceso de la derivación, perderán sus marcas flexivas internas, tal como puede comprobarse en el ejemplo que acabamos de presentar: *paragu(as)* + *ero* → *paragüero* o *paragu(as)* + *azo* → *paraguazo*.

Curiosamente, lo que estos compuestos muestran es que los rasgos morfosintácticos inherentes se manifiestan en el núcleo de la construcción, mientras que los flexivos con pertinencia sintáctica (cfr. Cap. 4) se realizan en la periferia de la palabra. El género en español se ha considerado tradicionalmente, en los nombres sin «moción», como un rasgo inherente o sustancial, en oposición al número, verdadero morfema flexivo, marca de concordancia, no sustancial al nombre sino accidental. El hecho de que el núcleo sea un N deverbal masculino explica por qué el compuesto resulta, por lo general, en un N masculino. Por otra parte, el morfema de plural ha de manifestarse en la parte externa de la palabra, como cualquier otro morfema flexivo no-inherente, y hacerlo con la marca de número propia de la categoría gramatical a la que pertenece el núcleo; esto es, -s, -es o -ϕ, variantes del morfema de plural nominal. La mayor parte de las veces, la marca de plural no es distinguible —podríamos decir que manifiesta el morfo -ϕ—, ya que el segundo constituyente es, por lo general, plural y su sufijo bloquea la aparición del sufijo plural del compuesto final, por causas fónicas bien conocidas (cfr. *las crisis, los lunes*, etc.). En los únicos casos en los que es posible reconocer claramente la marca externa de plural es en aquellos compuestos que tienen un segundo elemento [-contable], y por lo tanto no pluralizable, o se refieren a un objeto único y singular, tal como puede observarse en los casos de (37):

(37)

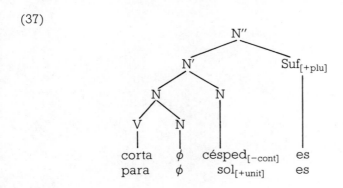

6.
La relación entre morfología y fonología

6.1. Introducción

En el Capítulo 3, al tratar de las variaciones morfológicas, se habló de aquellas condicionadas por factores fónicos —las alternancias «fonológicas»— y las que tenían una base morfofónica —las alternancias «morfofonológicas»—. Lo que prueban ambos tipos de variaciones es que las palabras complejas que resultan de la aplicación de las «reglas de formación de palabras» están sujetas a reglas fonológicas de «reajuste», en unos casos más generales o automáticas y en otros más específicas o idosincrásicas.

En la primera parte de este capítulo (6.2), volveremos a considerar la conexión entre morfología y fonología conforme a la denominada «Morfonología». En la segunda parte (6.3), presentaremos aquellos aspectos más directamente relacionados con la morfología de la teoría de la «Fonología Léxica» por ser la (sub)teoría fonológica actual más interesada por formalizar la relación entre los principios que rigen la estructura de la palabra y los procesos fonológicos que afectan a esta unidad léxica. Por último (6.4), expondremos algunas investigaciones sobre el español donde se muestra que ciertos condicionamientos fonológicos, de carácter silábico concretamente, permiten explicar la derivación de ciertas piezas léxicas del vocabulario hispano.

6.2. Morfonología

6.2.1. Exposición

Trubetzkoy (1949) ideó este campo de estudio con el fin de acoger en él todos aquellos aspectos fonológicos relevantes de la morfología; dicho con sus propias palabras, la morfonología se ocuparía de la utilización morfológica de las diferencias fonológicas. Su cometido se reparte en tres apartados:

1. *La descripción de la estructura fonológica de los morfemas.* Se incluye aquí toda información fonológica que esté determinada por condicionamientos estrictamente morfológicos; a diferencia del cometido de la fonología clásica, la morfonología se ocupará específicamente de aquellos aspectos fonológicos que distinguen a una determinada entidad morfológica; p.e., que en una lengua como la española la clase morfológica de los sufijos flexivos nominales se caracterice por ser átona, frente al carácter acentual de los sufijos derivativos, o que los morfemas radicales de las lenguas semíticas estén compuestos de tres consonantes; es decir, limitaciones estructurales particulares que no se imponen a todas las formas de la lengua sino que son privativas de una clase morfológica.

2. *La descripción de las modificaciones combinatorias* que se producen cuando los morfemas que constituyen una palabra compleja entran en contacto; esto es, fenómenos que se denominan de *sandhi* (=«unión»). Por ejemplo, el morfema radical que aparece en los nombres *president-e* y *presidenc-ia* presenta una configuración fonológica distinta: /president-/ ≈ /presidenθ-/, según el entorno morfológico ante el que se encuentra en cada caso; igualmente, en francés, el nombre *fleur* («flor») y el adjetivo *floral* («floral») comparten un mismo lexema, el cual, sin embargo, contrasta fonológicamente: /flœr-/ ≈ /flɔr-/, respectivamente. También existe diferencia entre la pronunciación del prefijo locacional *en-* que aparece en *[eŋ]fundar* y el que aparece en *[em]papelar* pero tales diferencias no son objeto de la morfonología, la cual solo se ocupa de aquellos casos de alternancias entre elementos fonológicos que contrastan entre sí, bien porque constituyen fonemas, bien porque la oposición entre ellos no es objeto de neutralización.

   Los fenómenos de alteración morfológica también se dan entre palabras; es lo que se conoce por «sandhi externo». En inglés, por ejemplo, el artículo indeterminado tiene la doble forma *a* / *an* según aparezca ante palabra con inicial consonántica (*a boy* = «un chico») o vocálica (*an apple* = «una manzana»), respectivamente. En francés, el demostrativo masculino *ce* («este») adopta la forma *cet* ante nombre con inicial vocálica: *ce copain* («este camarada») pero *cet ami* («este amigo»). En español tenemos otros muchos ejemplos; el clítico dativo *le* sufre una alteración fonológica cuando se halla ante el clítico acusativo: *le* + *lo* → *se* + *lo*; la forma de imperativo verbal de 2.ª de plural en *-d* presenta una forma alternante *-ϕ* ante el clítico *os*: *retiraϕos* o bien, el artículo femenino *la* se cambia por la forma masculina *el* cuando está ante un nombre común que empieza por *a*-acentuada: *la **á**ula* → *el aula*, *la **á**rma* → *el arma* (pero: «la Haya», «la hache», o «la alta sierra»).

3. *La descripción de las mutaciones fonológicas que desempeñan una función morfológica.* Tal es el caso del rasgo de abertura de las vocales andaluzas como medio de señalar la pluralización nominal que vimos en el Capítulo 3 o el conocido fenómeno del «umlaut» en alemán para marcar el plural en los nombres al que nos hemos referido también antes (cfr. Cap. 1).

Con la inclusión de la morfonología, el componente fonológico se configura en tres niveles de representación: los correspondientes a la representación morfonológica, la representación fonológica y la representación fonética. Los ejemplos de alteración morfonológica ejemplificados en el par *presidente/presidencia* y los de realización del fonema /n/ como [ŋ] en *enfundar*, sirven para ilustrar el cuadro de (1) (vid. Mohanan:1986):

(1)
Rrepresentación morfonológica: t

$\qquad\qquad\qquad\qquad\qquad\qquad\downarrow$

Representación fonológica: θ n

$\qquad\qquad\qquad\qquad\qquad\qquad\qquad\downarrow$

Representación fonética: ŋ

6.2.2. Críticas del modelo

En primer lugar, la división entre *reglas morfonológicas*, que proyectan un fonema en otro fonema, y *reglas alofónicas*, que regulan la realización fonética de los distintos fonemas de la lengua según el contexto en que aparezcan, no permite describir de manera unitaria fenómenos alomórficos idénticos. Así ocurre en el caso del prefijo locacional *in-* que presenta dos tipos de alternancia: las realizaciones «fonológicas» /im/(*poner*), /in/(*suflar*) e /iɲ/(*yectar*) y las realizaciones «alofónicas» [iŋ](*gerir*), [iɱ](*fluir*)...; en uno y otro caso, estamos, sin embargo, ante el mismo fenómeno de asimilación. La división que se recoge en (1) obliga, asimismo, a consignar por separado, en dos lugares distintos del componente fonológico, aquellos casos de neutralización por asimilación en el que intervengan fonemas, como en *co/θ/-er* ≈ *co/k/-ción* o *re/x/-ir* ≈ *re/k/-tor* y aquellos otros en donde los resultados de la asimilación no se realicen como fonemas de la lengua: *su[β]-marino*.

Tampoco es posible mostrar, en este modelo, que los fenómenos de asimilación de la nasal que acabamos de ver se producen en todos los casos en que se dé el mismo contexto fónico, esto es, siempre que la consonante asimilada esté en posición implosiva, independientemente de que intervengan o no unidades morfemáticas o el ámbito de aplicación sea la palabra o bien otra unidad superior. Frente a éstos, están aquellos otros casos en que el cambio fonológico solo se produce en el ámbito de la palabra, cuando los elementos asimilados constituyen morfemas específicos: *president-ia* → *presiden[θ]-ia* pero *manantial* → **manan[θ]ial*.

En conclusión, las reglas «(morfo)fonológicas» y las reglas «alofónicas» no son, en esencia, distintas; lo que es diferente es el dominio en el que tales reglas se aplican. Sobre la base de esta idea, se construirá la teoría de la Fonología Léxica (vid. Mohanan: 1986).

6.3. Fonología léxica

Nuestra exposición de esta teoría se basará fundamentalmente en los trabajos originales de Kiparsky (1982, 1983, 1985), Mohanan (1982 , 1986) y Halle y Mohanan (1985) y en las revisiones de Kaisse y Shaw (1985), Rubach (1985) y Basbøll (1988), entre otros.

6.3.1. Introducción

La Fonología Léxica (FL) surge del interés por interrelacionar la fonología con los demás componentes de la Gramática. Los modelos fonológicos anteriores partían de la idea de que toda la morfología precedía a la fonología; en el modelo de la FL, una parte de la fonología se entremezcla con la morfología. Esta teoría fonológica se enmarca dentro de la llamada «hipótesis lexicalista», formulada en Chomsky (1970), según la cual todas las operaciones morfológicas tienen lugar en el lexicón y supone, en definitiva, la extensión del lexicalismo a la fonología.

Del mismo modo, pues, que una lengua que no contara con palabras formalmente relacionadas del tipo *decidir / decisión* o *hijo / hija* y solo contara con pares del tipo *caer / tirar* o *padre / madre* sería una lengua sin morfología, tampoco podríamos esperar en dicha lengua procesos fonológicos léxicos; más exactamente, tal lengua presentaría una fonología léxica enormemente empobrecida que se distinguiría, en un bloque único, de la fonología de la frase.

La FL reconoce, pues, una fonología condicionada por la morfología frente a otra fonología que tiene su marco de aplicación fuera de la palabra; dicho de otro modo, una fonología de la palabra y una fonología de la oración. En este sentido, reproduce la dicotomía de la que hablaremos en el Cap. siguiente entre la sintaxis de la palabra y la sintaxis de la oración, o aquella otra bien conocida que distingue entre la semántica de la palabra y la semántica de la oración.

6.3.2. La relación entre la estructura de la palabra y los procesos fonológicos

Como dijimos en el Capítulo 1, la palabra compleja distribuye sus constituyentes en un orden lineal a la vez que compone una estructura jerárquica. Este último hecho se ha tratado de reflejar en un modelo morfológico que ordena en niveles o estratos los procesos morfológicos que intervienen en la complicación formal de la palabra. En el Capítulo 2, nos referimos a esta ordenación modular de la morfología y vimos también cómo cierta regla fonológica cíclica como es el acento se aplicaba tras cada proceso de afijación. Los estratos léxicos, además de dar cuenta de la distribución de los morfemas dentro de la palabra, se convierten en un medio de especificar el dominio de aplicación de ciertas reglas fonológicas de modo que la fonología se conecta con la morfología a través de los estratos léxicos configurados por la concatenación morfológica.

El hecho —señalado por Kiparsky (1982)— de que en inglés pueda darse un cambio fonológico en el caso de *in+legible → illegible* («ilegible»), esto es, la asimilación total de la nasal a la líquida que le sigue, pero no se dé en el caso de *non legible → *nollegible*, está relacionado, significativamente, con el hecho de que *non* pueda prefijarse a una palabra con *in* (*non illegible*) pero *in* no pueda prefijarse a una palabra con *non* (**innonlegible*). Tanto la diferencia fónica detectada entre ambas formas como el orden correlativo entre estos dos morfemas puede deducirse de su ordenación en un nivel o estrato específico, así como del encorchetamiento morfológico apropiado para cada forma. Igualmente, podría pensarse que el distinto comportamiento fonológico en español entre *in-legal* > *i-legal* e *in-lavable* → **i-lavable* se debe al hecho de que, en el primer caso, el proceso de afijación tiene lugar en un estrato en el que se aplican las reglas fonológicas de asimilación total de la nasal y elisión subsiguiente (*[in̦[legal]]*) y que, en el segundo, la afijación tiene lugar en un estrato posterior en el que ya no actúa esta regla fonológica (*[in [[lava]ble]]*).

La FL es heredera directa de esta concepción modular del léxico. Como hemos visto en el apartado dedicado a la morfonología, el marco de aplicación de las reglas fonológicas es variado: algunas solo se aplican dentro de la palabra y otras entre palabras, o en el nivel del sintagma. Basándose en esta constatación, la FL propone dos tipos de reglas fonológicas: a) *reglas léxicas*, y b) *reglas postléxicas*. Las primeras están sincronizadas con las operaciones morfológicas de tal modo que tras cada proceso morfológico (afijación, composición, etc.) se aplican las reglas fonológicas pertinentes, según un orden cíclico. Esto es, después de aplicarse una regla morfológica, se aplican aquellas reglas fonológicas cuya descripción estructural se ajuste al nuevo contexto morfológico; una vez completado este ciclo de aplicación en sus diferentes iteracciones, se pasa al siguiente en el que se procede del mismo modo. Las reglas de la fonología léxica quedan por así decir «emparedadas» entre operaciones morfológicas sucesivas. La *ciclicidad* es, por tanto, una propiedad intrínseca de las reglas fonológicas léxicas, derivada en última instancia de su interacción con la organización (morfológica) de la palabra por niveles.

En el Capítulo 2 describíamos un modelo de organización morfológica que hacía uso de lindes o junturas como medio de clasificar los distintos procesos de concatenación léxica. Así, hablábamos de Afijos de Clase-I, asociados al linde +, y de Afijos de Clase-II, asociados al linde #. La FL sostiene (cfr. Cap. 2) que no es necesario recurrir a este expediente ya que con la rotulación mediante corchetes que describe el proceso de elaboración morfológica es posible describir de manera precisa la noción estructural de «niveles de incrustación». En efecto, los lindes son simples elementos secuenciales que no permiten reflejar la estructura vocabular donde unos constituyentes están en capas más internas que otros. La información que transmite el encorchetamiento está, en definitiva, independientemente motivada, frente a las marcas de los lindes cuya justificación es meramente descriptiva.

Así pues, las reglas fonológicas accederán a la información morfológica pertinente a través de las divisiones morfemáticas encorchetadas que le suministra el componente morfológico junto con la ordenación apropiada, en niveles o estratos, de cada uno de los procesos morfológicos. Según esta concepción, se puede afirmar que un conjunto de las reglas fonológicas forma parte del subcomponente de «formación de palabras».

Dado que, como se ha dicho antes, las reglas léxicas son reglas cíclicas, la supeditación al encorchetamiento morfológico que acabamos de comentar ha de estar suplementada con una estipulación ulterior, enunciada como el «principio del borrado de corchetes», que se resume en:

(2)
«Bórrense los corchetes internos al final de cada ciclo»

De este modo se explica que procesos morfológicos que están en un nivel previo al de la aplicación de una regla fonológica no se vean afectados por ella pues, una vez que se ha pasado a un nuevo ciclo, se borran los corchetes pertinentes y los procesos morfológicos que allí se encuentran ya no son visibles para las reglas fonológicas que tienen su dominio de aplicación en un estrato ulterior (cfr. «condición de opacidad» de Mohanan: 1982). También se explica, mediante este principio, que la estructura morfológica no sea accesible a las reglas postléxicas pues, una vez que la palabra compleja ha llegado a su forma final, solo conservará sus corchetes categoriales externos pero ninguna marca de su historia derivacional anterior.

Este principio deriva en el «Principio de la Integridad Léxica» (Chomsky: 1970) al que hicimos mención en el Capítulo 2 bajo distintos nombres: dado que las operaciones morfológicas tienen lugar en el lexicón y que los corchetes internos se borran por el principio (2), las operaciones sintácticas no podrán acceder a la estructura interna creada por las operaciones morfológicas (vid. Pesetsky: 1979).

Veamos algún ejemplo de la aplicación del «borrado de corchetes» en la morfología y fonología léxicas. En el léxico inglés tienen lugar dos procesos morfológicos que añaden sendos morfemas con la misma forma fonológica: el sufijo -er; uno es el que construye adjetivos comparativos sobre la base de un adjetivo en grado positivo *long-er* («más largo») y otro el que forma nombres agentivos a partir de verbos: *singer* («cantante»). El primero se supone formado en el estrato I y el segundo en el estrato II (vid. Mohanan y Halle: 1985). Por otra parte, entre las reglas fonológicas, hay una conocida por «elisión de velar», cuyo marco de aplicación es el estrato 2, con la forma:

(3)
$g \rightarrow \phi \: / \: [+nasal] \underline{\quad\quad}]$

127

Dado que *longer* se forma en el estrato I: [[long]er] , cuando llega al estrato II, en el que tiene aplicación la regla fonológica mencionada, aparecerá bajo la forma [longer] y no se verá afectado por ella; esto es, se habrán borrado los corchetes internos y no se cumplirá la descripción estructural de (3); *singer*, por el contrario, tiene en el estrato II la estructura [[sing]er], con lo cual se ajusta al contexto requerido en (3) y se ve afectado, acertadamente, por dicha regla: [siŋər].

A su vez, la salida (o educto) de las operaciones fonológicas puede estar sometida a operaciones morfológicas de modo que la fonología y la morfología se convierten en entradas (o aductos) la una de la otra. Un ejemplo de este caso es el de los nombres en *-al* del inglés que derivan de verbos: *arrival* («llegada»), *reversal* («inversión»), *acquittal* («exculpación»)... Tal regla de formación de palabras solo puede aplicarse a verbos acentuados en la última sílaba *(arrív(e)*, *revérs(e)*...) de modo que formaciones como **depósit-al*, **recóver-al*, etc., son imposibles. Esto implica que la regla morfológica que adjunta el sufijo *-al* tiene que aplicarse después de que la regla fonológica que asigna el acento al verbo haya operado.

Resumiendo lo visto hasta el momento, la FL parte de dos hipótesis íntimamente relacionadas con la estructura morfológica: (a) la hipótesis de la ordenación por estratos y (b) la hipótesis del estrato como dominio o marco de aplicación de una regla.

En (4) reproducimos un cuadro de Kiparsky (1982 y 1983) donde se muestra la composición interna del léxico con la interacción entre las reglas morfológicas y las fonológicas; en la parte inferior y fuera del recuadro, se describe la entrada del léxico en la sintaxis y la posterior intervención del componente fonológico postléxico:

(4)

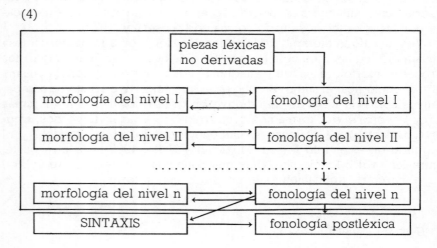

6.3.3. Reglas fonológicas léxicas y postléxicas

Como ya se ha dicho, ciertas reglas fonológicas se denominan léxicas y otras postléxicas en atención a su marco o dominio de aplicación. No se diferencian, pues, sobre la base de cualidades intrínsecas sino en atención a su ámbito de operación. Según el principio enunciado por Mohanan (1986), «toda aplicación de una regla (fonológica) que requiera información morfológica ha de tener lugar en el lexicón».

En los ejemplos del español que veíamos en (1), la regla que cambia **t** → **θ** (cfr. *president-e* / *presidenθ-ia*) es una regla fonológica que toma en consideración cierta información morfológica y que se aplica en el léxico; es, por tanto, una regla léxica. Por su parte, la que cambia **n** → **ŋ** es una regla fonológica indiferente a la organización morfológica y que se aplica tanto en interior de palabra como fuera del ámbito de la palabra; es, por tanto, una regla postléxica.

La mayoría de las reglas fonológicas se especializan para un nivel determinado del léxico o bien se aplican fuera de él, es decir, postléxicamente, como es el caso de la regla de asimilación de nasal en español, la cual no necesita tener acceso a información interna estructural (cfr. *i[ŋ]formal* junto a *e[ŋ] febrero*, p.e.).

La teoría predice que, si una misma regla se aplica en el nivel léxico y también en el postléxico, sus resultados muy posiblemente serán diferentes en cada caso. La misma regla de asimilación nasal, presuntamente postléxica, tiene alguna manifestación de aplicación léxica como es el caso en que dicho segmento pertenezca al prefijo negativo *in-* y vaya seguido de consonante líquida. En tal contexto, la regla fonológica presenta un resultado distinto al resto de las nasales (cfr. *iφ-legal*, *iφ-regular*), ya se encuentren éstas entre palabras (cfr. *e*(n) Lugo*, *e*(n) Roma*) o en interior de palabra pero pertenezcan a un prefijo distinto del morfema negativo (cfr. *e*(n)lutar*, *e*(n)rejar*).

Contrariamente a lo que se desprende del diagrama (1), no existe la obligatoriedad de que todas las reglas léxicas sean «fonológicas» y todas las postléxicas «alofónicas»; siguiendo con el mismo ejemplo de asimilación nasal, en español tenemos tanto *e[m]papelar* y *e[ŋ]fundar*, esto es, asimilación nasal fonológica y alofónica , respectivamente, dentro de palabra, como *e[m] París* y *e[ŋ] Francia*, ejemplo del mismo caso pero entre palabras.

En el cuadro de (5) resumimos las diferencias observadas entre uno y otro tipo de reglas:

(5)

Reglas léxicas	Reglas postléxicas
1. son cíclicas	no
2. ámbito: interior de P	sintagma, etc.
3. acceso a la estructura interna de P	no
4. preceden a la inserción léxica	no
5. se dan solo en contextos derivados	no
6. preservan la estructura	no
7. se aplican solo a categorías léxicas	no
8. admiten excepciones	no
9. están ordenadas disyuntivamente en relación a otras reglas léxicas	ordenadas conjuntamente en relación a las reglas léxicas
10. preceden a todas las reglas postléxicas	siguen a todas las reglas léxicas

Comentaremos, a continuación, algunos de los puntos sobre los que no nos habíamos extendido antes. Con respecto al punto 1., diremos que algunos autores (vid. Mohanan: 1982) consideran que la «ciclicidad» no es un rasgo definitorio de las reglas léxicas sino que lo que las distingue, en este sentido, es el hecho de que las reglas léxicas utilicen información morfológica: los hiatos morfológicos entre los constituyentes de la palabra que marcan los corchetes o cierto tipo de información morfológica como el rasgo [+latino], en el caso del léxico inglés, o [+heredado], para el léxico hispano (cfr. Cap. 1), o bien información sobre la categoría léxica, la clase conjugacional o el tipo de declinación.

Veamos algunos ejemplos de la utilización de información morfológica por parte de las reglas fonológicas léxicas. En español se aplica una regla de asibilación de la dental (**t, d → s**) entre morfemas siempre y cuando la dental pertenezca a una raíz verbal y vaya seguida del sufijo nominal -*ión*, con [j] inicial: *ced+[j]ón → cesión, ascend+[j]ón → ascensión*; no así, si la base es otra categoría distinta del verbo, por más que exista linde morfemático: *cid+[j]ano* (no *cisiano), *kant+[j]ano* (no *kansiano). Asimismo, la regla que introduce *d* entre *l* o *n* + *r* es una regla léxica del español. Dicha regla ha dejado de ser operativa en posición interior de morfema, es decir, en estructuras no derivadas (*honrado, alrededor, Enrique...*), pero cuando los grupos *ln* o *nr* se hallan en morfemas distintos (con *r* de futuro o condicional), la regla se aplica: *val**d**rá, sal**d**rá, ten**d**ría, ven**d**ría*. Veamos algún otro ejemplo. En inglés, la regla fonológica de debilitamiento velar es también léxica;

130

solo se aplica en el caso del vocabulario de origen latino: *opa[k]e*
(«opaco») / *opa[s]ity* («opacidad») frente a *king [kiŋ]* «rey», no *[siŋ]*.

Por el contrario, una regla fonológica como la que aplican ciertos
dialectos del español de aspiración de *[s]* ante consonante velar no
precisa de información morfológica alguna: *a[h]co*, *e[h]+cacharrar*,
e[h] # # que. Igualmente, en inglés la regla de asimilación *s → [š]* es
tanto léxica como postléxica: *race [rejs]* / *racial [réjšəl]* («raza, racial»),
I mi[s] him / *I mi[š] you* («le/te echo de menos»).

Con respecto al punto 4., es evidente que, siendo las reglas fonológicas léxicas parte del componente de formación de palabras, no podrá
producirse la inserción léxica en la cadena sintagmática en tanto que la
palabra no esté totalmente conformada. Del mismo modo (cfr. punto
10), las reglas fonológicas que operan entre palabras no pueden prece-
der a la aplicación de una regla que necesite algún tipo de información
morfológica (recuérdese, además, la «condición de opacidad» o el
«principio de integridad léxica»).

Con respecto al punto 5., por «contexto derivado» se entiende tanto
aquel que es resultado de la aplicación previa de una regla morfológica como el que se deriva de una regla fonológica anterior. El hecho de
que se produzcan estructuras relevantes para la aplicación de una
regla fonológica en aquellos contextos donde se da un linde morfológico es justamente la razón fundamental que ha impulsado la investigación sobre la interacción entre procesos morfológicos y procesos fonológicos que estamos examinando (vid. Rubach: 1986).

Con respecto al punto 9., esta propiedad se ha formulado en Kiparsky (1973b, 1982) bajo el nombre de «condición de alteridad» en los
siguientes términos: las reglas A, B de un mismo componente se aplican
disyuntivamente a una forma Φ si y solo si: i) la descripción estructural
de A (la regla especial) incluye propiamente la descripción estructural
de B (la regla general); ii) el resultado de aplicar A a Φ es distinto de
aplicar B a Φ. En tal caso, A se aplica primero y, si tiene efecto, B no se
aplica. Esta condición tiene su contrapartida en el nivel morfoléxico
donde tiene por función «bloquear» la forma regular o general si ya
existe una forma especial (vid. Aronoff: 1976 y Scalise: 1982). Esta
condición, p.e., impide que se aplique la sufijación regular de participio pasado a una forma como *dicho* (*decido*) o el morfema de plural
productivo a una forma como ing. *men* «hombres» (*mans*). En efecto,
las palabras que reciben las marcas de flexión en el nivel I (flexión
irregular), según la ordenación propugnada por Kiparsky (cfr. Cap. 2),
ya no reciben los sufijos flexivos generales y regulares en un nivel
posterior. Igualmente, se excluyen sufijos concatenados con la misma
función: *dichido*, o ing. *mens*. A veces, sin embargo, el bloqueo no se
aplica y la lengua presenta dobletes del tipo: *impreso* / *imprimido* o

ing. *dreamt* / *dreamed* («soñado»). La regla especial o «irregular» es, en unos casos, opcional o se especializa, en otros, para determinadas funciones (en español, los llamados participios irregulares suelen acumular funciones adjetivas en mayor grado que las formaciones regulares) o bien adquiere significados restringidos, frente al caso regular que suele abarcar un significado más general: *caminero* vs. *caminante*, *oidor* vs. *oyente* o *gobernador* vs. *gobernante*.

6.3.4. Contra la especificación de los procesos fonológicos en las reglas de formación de palabras

En algunas de las descripciones sobre alomorfía (cfr. Cap. 3), incorporábamos la operación fonológica desencadenada por el proceso morfológico a la propia regla de formación de palabra. Así, p.e., decíamos que el morfema adjetival *-al* del español se realizaba como *-ar* cuando en la base a la que se adjuntaba había determinados fonemas (como /l/: *melon-al* → *melon-ar* o /λ/: *caball-al* → *caball-ar*, frente a *madroñ-al* o *cigarr-al*). En la Fonología Léxica, sin embargo, se sostiene que la información fonológica pertinente no debe supeditarse a morfemas individuales, si nuestra teoría pretende ser explicativa y descriptivamente adecuada. Si lo hiciéramos así, no podríamos expresar ciertas generalizaciones que se muestran significativas desde el punto de vista lingüístico. Cuestiones ya observadas como que aquellos afijos que no pueden añadirse a compuestos o a bases que contienen previamente ciertos afijos son justamente los que provocan determinados procesos fonológicos, como el cambio de acento o determinadas asimilaciones fónicas. Esto es, el que afijos con los mismos requisitos distribucionales se vean involucrados en los mismos procesos fonológicos. En una teoría en la que el proceso fonológico se especificara como parte de la regla que adjunta un afijo, estos hechos de carácter general no podrían explicarse de manera unitaria y parecerían meras coincidencias. Además, como ya hemos visto, no es apropiado que algunos fenómenos fonológicos se describan en términos de morfemas individuales concretos porque también se aplican en la composición o incluso en el nivel sintagmático.

La teoría por estratos defendida en la FL separa la descripción de la operación morfológica de la fonológica pero permite, no obstante, dar cuenta de esta interacción entre morfología y fonología haciendo que aquellos afijos que desencadenan (o bloquean) las mismas reglas fonológicas se ordenen en un mismo estrato y que los procesos fonológicos que son inducidos por un proceso morfológico de un determinado tipo se ordenen a continuación de él. Este modelo no presenta entonces redundancia; es formalmente más simple y abarcador.

Aunque, como ya hemos dicho, no contamos con clasificaciones de los morfemas del español según las propuestas de la FL, no deja de resultar curioso que fenómenos tan alejados entre sí en un ordenamiento clásico de la morfología, como son la flexión de plural del nombre español y la afijación diminutiva, se muestren sensibles a los mismos procesos fónicos. Me refiero al hecho —mencionado en el Cap. 4— de que en ambos casos la afijación se bloquee ante una estructura de base como: [_____ V̊s]: *lunes* → **lunes-it-o*, *lunes* → **lunes-es* (vs. *francés-ito, francés-es*). Si hubiera otros casos, morfológicos y/o fonológicos, que corroboraran la estrecha vinculación entre estos procesos morfológicos sería acertado proponer su ubicación en un mismo estrato léxico.

En síntesis, la FL sostiene que la información fonológica relevante no es patrimonio de un morfema concreto sino que «pertenece» a un dominio o estrato; los estratos se delimitan, como ya sabemos, en atención a la distribución de los morfemas o a las reglas fonológicas que tienen su aplicación dentro de ellos y, en el caso ideal, por la conjunción de ambas características.

6.4. Algunos casos del español

Presentaremos, a continuación, ciertos ejemplos del español tomados todos ellos de distintos trabajos de Harris (1983,1984) para mostrar la actuación de las reglas fonológicas en el nivel léxico y su vinculación a la estructura morfológica de la lengua.

Algunos ejemplos, muy simples, muestran la relevancia de la información morfológica en la formulación de las reglas fonotácticas, esto es, de combinatoria de fonemas. En este sentido, Harris ha formulado la regla (6):

(6)
[+nas] → [-cor]/ ___ [+nas]

con la que se pretende regular que en español el único grupo posible de dos nasales (NN) dentro de morfema es /mn/: *alu[mn]no, colu[mn]a, hi[mn]no...*; el grupo /mn/ está, en efecto, limitado a interior de un mismo morfema o lo que es lo mismo, [mn] no se separa nunca en morfemas distintos. Esta es una regla léxica porque es sensible a la estructura morfológica.

Ciertas reglas de alomorfía pueden igualmente expresarse tomando en cuenta los distintos niveles o estratos que concibe la FL donde la estructura morfológica determina decisivamente la actuación de las reglas fonológicas. En la discusión de las dos reglas de despalatalización del español que reproducimos a continuación es crucial la hipótesis defendida por Harris según la cual la estructura de sílaba dentro de la palabra se asigna cíclicamente.

La primera regla a la que nos vamos a referir es la «despalatalización de lateral». En español tenemos ciertas alternancias morfológicas del tipo:

(7)
be**ll**o   be**l**dad
donce**ll**a   donce**l**

Para dar cuenta de estos contrastes, en los que encontramos /l/ ante consonante y en final de palabra, Contreras (1977) propuso la regla (8):

(8)
$$L \rightarrow l \ / \ \underline{\hspace{1em}} \left\{ \begin{matrix} C \\ \# \end{matrix} \right\}$$

Sin embargo, en algunos casos parece que la despalatalización de la lateral no cumple el requisito previsto en (8) de encontrarse en final de sílaba, pues tenemos tanto *donce$lla(s)* como *donce$les*; esto es, con /l/ también en posición inicial de sílaba. La explicación de que no tengamos *doncelles* hay que buscarla, según Harris, en la estructura morfológica particular de esta palabra. Partimos de la estructura subyacente:

(9)
[[donceL]$_N$ es]$_N$

Se asigna entonces la estructura de sílaba en el primer ciclo de modo que silabificamos *donceL*; este contexto es el requerido por la regla (8) de despalatalización por lo cual se aplica y obtenemos:

(10)
[[doncel]$_N$ es]$_N$

En el ciclo posterior, volvemos a aplicar la estructura de sílaba con los nuevos segmentos incorporados pero con la lateral ya despalatalizada: *donceles*.

El otro proceso fonológico que comentaremos es el de «despalatalización de nasal». En español, tenemos contrastes del tipo:

(11)
re**ñ**ir   re**n**cilla
desde**ñ**ar   desdé**n**

134

Esto es, *ñ* alterna con *n* ante consonante y en final de palabra de modo que se ha propuesto (Contreras: 1977) una regla de despalatalización igual a la anterior:

(12)

$$\tilde{n} \rightarrow n \ / \ \underline{\hspace{1cm}} \left\{ \begin{array}{c} C \\ \# \end{array} \right\}$$

Sin embargo, de nuevo tenemos aparentes contraejemplos del tipo *[desde$**nes**]*$_N$ frente a *[desde$**ñes**]*$_V$. El primer caso se resuelve como el anterior suponiendo que la despalatalización tiene lugar en el primer ciclo, cuando la nasal se encuentra en la coda silábica, contexto requerido por la regla (12). En el caso del verbo, Harris supone una forma subyacente con la vocal temática añadida al radical:

(13)
[(desdeñ + a)$_V$ es]$_V$

Como la representación morfemática encerrada entre paréntesis no constituye una palabra sino un tema —el verbo no es «palabra» en tanto no recibe sus marcas flexivas— la derivación de (13) solo contiene un ciclo. Primero se elide la vocal temática ante la vocal -*e*- de tiempo/modo: [desdeñ + e + s]$_V$ y después se asigna la estructura de sílaba; en esta derivación de un solo ciclo la palatal va siempre seguida de vocal y por tanto no se ve afectada por la regla (12).

Hemos querido reproducir aquí de manera sintetizada la explicación de estos casos de alomorfía para mostrar un modo de vincular el funcionamiento de las reglas fonológicas del español a la estructura morfológica de sus palabras.

7.
La relación entre morfología y sintaxis

7.1. Introducción

En la lingüística moderna, se reconoce de manera generalizada la existencia de conexiones sistemáticas entre las partes principales de la Gramática. Una de estas conexiones, ampliamente tratada en la tradición gramatical, es la que se refiere a la interrelación entre **morfología** y **sintaxis**.

Así, para alguna escuela estructuralista, la oposición tradicional entre morfología y sintaxis se consideró insuficiente por no permitir expresar ciertos puntos de solapamiento significativos entre ambos componentes. Efectivamente, es posible comprobar que en las oraciones:

(1)
Le contesté por carta (a mi amiga)

(2)
La contesté por carta (la encuesta)

el cambio de forma del pronombre: *le/la* está relacionado con un cambio funcional: *complemento indirecto/complemento directo*, muestra de una de las relaciones posibles entre forma (Morfología) y función (Sintaxis) en la lengua española. Para expresar este tipo de relación, se postuló un nivel descriptivo mixto: la **morfosintaxis**, término que engloba el estudio de las unidades lingüísticas atendiendo a la forma y a la función conjuntamente.

Dentro de la Gramática Generativa, se ha hecho hincapié aún en otro tipo de relación entre morfología y sintaxis como es la que se produce en los casos de piezas léxicas formal y semánticamente emparentadas. Así, por ejemplo, en la oración:

(3)
Los enemigos *destruyeron* la fortaleza

tenemos un verbo «destruyeron» que se relaciona léxicamente con el nombre «destrucción» que aparece en el ejemplo de (4) acompañado por los mismos elementos lingüísticos, si bien en otro orden y con otra articulación:

(4)
La *destrucción* de la fortaleza por los enemigos

El establecimiento de esta *relación formal* entre una pieza léxica simple, como el verbo «destruir», y su derivado,«destrucción», del ejemplo, así como la determinación de la *capacidad de herencia* que tiene la palabra compleja, o los *cambios en la articulación sintáctica* que se derivan de estos cambios de forma, son otros cometidos en los que se ven involucrados los dos componentes: el morfológico y el sintáctico.

Ahora bien, una cosa es reconocer este tipo de conexiones —en lo que coinciden todos los gramáticos— y otra, determinar con precisión su verdadera naturaleza. Entre otras cuestiones, habrá que decidir si el mejor modo de formalizar esta relación en nuestra gramática es postulando nuevos niveles o componentes donde dar cabida a las áreas de solapamiento reconocidas o si, por el contrario, deben enriquecerse los componentes tradicionales con ciertos mecanismos que se ocupen específicamente de estos hechos.

Hagamos un poco de historia de cómo se ha tratado esta relación en la investigación lingüística de las últimas décadas.

7.2. La derivación morfológica como transformación sintáctica

En los trabajos primeros de Gramática Generativa se trató de explicar la morfología derivativa dentro de la sintaxis mediante un mecanismo especial: las *transformaciones*. Estas fueron concebidas como un medio de formalizar la relación entre una forma derivada y su estructura básica dentro de la sintaxis y, posteriormente, se hicieron extensi.as a la morfología derivativa. Básicamente, se suponía —como en el estructuralismo anterior— que la manera en que los morfemas se concatenaban para formar palabras no era diferente en naturaleza del modo en que las palabras se combinaban para formar oraciones. En consecuencia, se destinó al mismo componente de la gramática el estudio de la estructura de la palabra y el de la estructura de la oración.

Así, en el ejemplo de (4), el nombrador derivado *destrucción* se derivaría del verbo simple *destruir* a través de una Transformación-de-Nominalización en la que se especificaría, entre otras cosas, que el sujeto oracional pasa a ser un complemento preposicional dentro del nominal.

Pronto se reconoció la dificultad de basar la explicación del léxico derivado en el mecanismo transformacional: las similitudes entre pieza léxica simple y derivada no eran totales desde el punto de vista sintáctico, la relación distaba mucho de ser sistemática y productiva y el número y complejidad de las transformaciones que había que postular si se pretendía generar todo el léxico derivado mediante este mecanismo complicaba en exceso la gramática, hasta el punto de hacerla inadecuada como modelo de explicación de la competencia del hablante nativo. Veamos algunas de las dificultades e insuficiencias de un tratamiento sintáctico del léxico derivado a través del mecanismo transformacional, tomando como ejemplo un tipo de nominalización del español: los infinitivos sustantivados.

Existen en español tres tipos de «infinitivo sustantivado» a los que llamaremos «infinitivo factivo», «infinitivo modal» y «nombrador derivado» que aparecen ejemplificados en las oraciones (5), (6) y (7) respectivamente:

(5)
El *afirmar*lo tú tan insistentemente es prueba de confianza

(6)
Escuchan el incansable *tañer* de las campanas

(7)
El *poder* de la clase dominante es inconmensurable

Si pretendiéramos derivar estas nominalizaciones del verbo-base subyacente y relacionarlas con la estructura oracional básica nos encontraríamos con las siguientes dificultades:

a) El *grado de nominalización* de unas y otras es distinto. En el primer caso ((5)), el infinitivo sustantivado conserva gran número de rasgos verbales como, por ejemplo, la capacidad de llevar un pro-enclítico (*lo*), aparecer con un sujeto-nominativo (*tú*), o ir modificado por un adverbio (*insistentemente*). Además, el único determinante que acepta este tipo de infinitivo es el artículo *el*. En el segundo caso ((6)), el infinitivo sustantivado se acerca ya más a un nombre: permite otros determinantes («*aquel* tañer», «*ese* tañer»...), va modificado por un adjetivo (*incansable*) e incorpora su 'sujeto', al modo de cualquier nombre, precedido por la preposición *de*. Sin embargo, a diferencia de la mayoría de los nombres, no puede flexionarse en plural (*tañeres), ni admite modificación de grado (*tañer(c)ito, *tañerazo...). Por último, la nominalización de (7) se comporta a todos los efectos como un nombre genuino de modo que los sintagmas con uno de estos nombradores derivados como núcleo funcionan como cualquier otro sintagma nominal.

b) La *productividad* de unas y otras nominalizaciones es, igualmente, diferente. Los casos de (5) apenas tienen restricciones para su formación; no así los de (6) que están limitados a verbos de un tipo semántico y gramatical determinado. En (8), observamos la imposibilidad de obtener construcciones de «infinitivo modal» con un verbo transitivo como «aceptar»:

(8)
*El aceptar (el cargo) de Juan nos extrañó mucho

y, en (9), la nominalización es inaceptable con un verbo intransitivo como *venir*:

(9)
*El venir (a casa) de Juan nos alegró mucho

Aún más restringida es la producción de nombradores derivados en -*r*; aquí, la productividad es realmente mínima y su manifestación, a partir de la forma verbal básica, lo bastante impredecible como para no permitirnos proponer una solución transformacionalista. ¿Por qué, si no, los siguientes verbos han de poderse convertir en nombres derivados y adoptar, en consecuencia, la forma de plural: *haber*, *deber*, *andar*, *cantar*, *poder*... y, por el contrario, *lamentares, *atronares, *tañeres o *trasnochares han de ser todas ellas malas formaciones léxicas?

c) Tampoco es posible deducir la *interpretación semántica* de manera general y sistemática para todos los «infinitivos sustantivados». En el primer caso, parece que la interpretación semántica apropiada es la que responde a la paráfrasis «el hecho de...».

Surge, así, otra cuestión contraria a la derivación transformacional que se refiere a cómo recuperar ese material elidido («el hecho de...») que no está presente en la oración base pero que nos resulta imprescindible para otorgar a esa nominalización que hemos llamado «factiva» su correcta interpretación semántica. En el caso de (6), las paráfrasis posibles son tanto «el modo de...» como «el acto/la acción de...», con lo cual la recuperación de ese material elidido se convierte en asunto de aún más difícil sistematización. Por último, los nombradores derivados han desarrollado contenidos semánticos irregulares, imposibles de obtener por medio de una regla general; han de memorizarse uno a uno. *Cantar* en la expresión «los *cantares* revolucionarios...» equivale a «canción», «copla»; es el resultado o el objeto de la acción de «cantar», no la «acción de cantar»; *deber* en «Mi hija tiene hoy muchos *deberes* para casa» equivale a «tareas», «ejercicios escolares» pero a «obligación» en «El *deber* de todo ciudadano es respetar su entorno». En síntesis, las piezas léxicas derivadas desarrollan contenidos semánticos específicos, a menudo impredecibles, que hacen desaconsejable un tratamiento transformacional.

d) Existe, asimismo, *falta de paralelismo* entre *marca morfológica* y *tipo morfológico*. Hemos visto, a través de estos ejemplos, no solo que no es posible identificar una misma marca afijal (*-r*) con un único tipo morfológico sino también que la nominalización mediante el afijo *-r* que forma nombradores derivados es exclusiva de ciertas bases verbales; asimismo, es fácil comprobar que podemos obtener nombres con el mismo contenido semántico y equivalentes rasgos contextuales a los de los nombres derivados de (7) por medio de otros afijos. Así, por ejemplo: *cantar/canción*; *valer/valía*; *poder/poderío*; *andar/andadura*. En definitiva —como ya se dijo en el Cap. 1—, no es posible la identificación afijo X ≈ nominalización X.

7.3. La derivación morfológica como operación léxica

En su obra, «Observaciones sobre la Nominalización» de 1970, Chomsky expuso por primera vez la denominada *hipótesis lexicalista* donde se defiende, concretamente para los nombradores derivados, la conveniencia de generar esta parcela del vocabulario derivado directamente en el lexicón. Su propuesta fue extendida por otros autores a toda la morfología derivativa de modo que ésta quedara por completo fuera de la sintaxis. La idea básica de este trabajo —fundamental en el desarrollo de la morfología generativa— es que es posible «construir estructuras» en dos lugares de la Gramática: la *sintaxis* o el *léxico*; el problema de qué cosas atribuir a un componente y qué cosas a otro se entiende en este trabajo como un problema de «demarcación» que solo puede ser resuelto empíricamente. A partir de aquí, se establecerá una oposición entre constructos sintácticos y constructos léxicos muy fecunda para la génesis y el desarrollo de la morfología.

En los primeros trabajos dentro de la orientación lexicalista, las similitudes entre primitivo y derivado significativas para la descripción gramatical se explicaron a través de «reglas de redundancia» (vid. Jackendoff: 1975) como la que figura en el esquema (10), donde se consignan las entradas léxicas de la pieza derivada (X) en relación con la de la simple (W). En estas entradas, además de la forma fonológica y el contenido semántico de cada pieza léxica, se incluyen las expansiones sintácticas compartidas; la doble flecha pretende indicar la vinculación de una a otra en atención a las regularidades semánticas, sintácticas y fonológicas que exhiben.

(10)
$$
\begin{bmatrix}
X \\
/\ Y + \text{ción}\ / \\
[+N] \\
[\ \underline{\quad}\ \text{de } SN_2 \text{ por } SN_1\ ] \\
\text{ACCIÓN de } SN_1\ Z\ SN_2 \\
/\text{destruk}+\theta\text{jón}/
\end{bmatrix}
\Leftrightarrow
\begin{bmatrix}
W \\
/\ Y\ / \\
[+V] \\
[\ SN_1\ SN_2\ ] \\
SN_1\ Z\ SN_2 \\
/\text{destru}+\text{ír}/
\end{bmatrix}
$$

Ex. «La destrucción de la fortaleza por los enemigos» ⇔ «Los enemigos destruyen la fortaleza»

A medida que los trabajos sobre léxico derivado se iban sucediendo, se hicieron cada vez más patentes la riqueza y complejidad de los procesos que ahí se incluían y, a partir de la obra de Aronoff, «La Formación de Palabras en la Gramática Generativa», de 1976, cobró cuerpo la idea de que era necesario dar entrada en la Gramática a un nuevo componente, el morfológico —más precisamente como subcomponente dentro del lexicón—, donde se trataran de manera específica todas las cuestiones que atañían a la palabra como entidad formal.

Las reglas de redundancia eran simples *reglas de reconocimiento* que expresaban la similitud entre ciertas palabras del léxico pero no podían emplearse como reglas de *producción* o *generación* de nuevas piezas léxicas a partir de otras ya existentes en el léxico del hablante de modo que ofrecían un modelo excesivamente simplificador de la realidad observada. Se vieron así sustituidas por «reglas generativas», específicamente morfológicas: las *reglas de formación de palabras* (RFP), sobre las que tratamos en el Capítulo 2, las cuales «construyen» las piezas léxicas complejas y atienden a restricciones y condicionamientos de carácter sintáctico de diversa índole (aparte de los otros semánticos y fonológicos), dando cuenta, en parte, de la relación entre morfología y sintaxis.

El caso de la morfología flexiva es más controvertido dentro del lexicalismo. Para algunos, los fenómenos de flexión están claramente determinados por cuestiones sintácticas como son la concordancia o la rección y no pueden, en consecuencia, escaparse a la intervención de la sintaxis. Así —como dijimos en el Cap. 4—, Anderson (1982) ha propuesto un modelo morfológico en el que flexión y derivación se colocan en distintos lugares de la gramática basándose en el hecho de que la flexión ha de tener acceso a cierta información sintáctica: asignación de propiedades configuracionales a las palabras (p.e., el caso) y forma de operar la concordancia morfológica dentro de estructuras sintácticas más amplias (i.e., la incorporación de rasgos inherentes y configuracionales a un elemento en concordancia). Según este autor, la morfología quedaría dividida en dos partes: «una flexiva que se integra en la sintaxis (y comparte con ella primitivos teóricos) y una derivativa que queda confinada en el lexicón y es opaca a la sintaxis» (op. cit. p. 591).

Para otros lingüistas, en cambio, la relación indudable entre flexión y sintaxis puede y debe expresarse en términos más abstractos; las reglas de la sintaxis no tienen competencia —presumiblemente— ni en la forma ni en el orden que adopten los afijos en cuestión dentro de la palabra, asuntos éstos privativos de la morfología. En consecuencia, la afijación flexiva, como parte constitutiva de la palabra, se incluye también dentro del componente morfológico. En realidad lo que esta corriente del lexicalismo reivindica es la distinción tradicional entre *rasgo* flexivo (Sintaxis) y *marca* flexiva (Morfología). Así, Jensen y Jensen (1984) admiten que las reglas sintácticas puedan hacer referencia a rasgos morfológicos, lo cual no implica, en su opinión, que sean sensibles a la estructura interna de la palabra. Por ejemplo, las reglas de la concordancia tienen que hacer referencia a rasgos tales como el caso, el número o el género, pero no a los sufijos, infijos o prefijos específicos que alberguen estos rasgos en la lengua en cuestión. En este modelo lexicalista, el lexicón generará un conjunto completo de formas flexionadas con independencia de los requisitos sintácticos específicos a los que estén sometidas. Una vez que la concordancia y la rección sintácticas se determinan, la inserción léxica colocará la forma apropiada de la palabra en la posición sintáctica apropiada. Esto es, una palabra se inserta en una posición sintáctica determinada si sus rasgos morfológicos no son diferentes de los rasgos requeridos en dicha posición. En la morfología habrá marcas (=afijos, p.e.) con sus rasgos asociados; la sintaxis escoge los rasgos y éstos se presentan bajo su marca correspondiente. Como ya dijimos en el Capítulo 4, la relación entre rasgo y marca no es unívoca ni necesariamente indisoluble. Por ejemplo, en el interior de un compuesto como el esp. *altavoz* hay una marca (-*a*) que se identifica con el rasgo de género femenino pero tal marca no constituye un rasgo flexivo «sintáctico» en esta palabra, por lo demás masculina; es decir, no tiene incidencia en la concordancia sintagmática y, por tanto, no es pertinente para la sintaxis.

7.4. Sintaxis interna y sintaxis externa de la palabra compleja

Las reglas morfológicas que hemos expuesto anteriormente en el Capítulo 2 sólo hacían referencia a lo que podríamos llamar la «sintaxis interna» de la palabra compleja, no a su «sintaxis externa». Veamos la diferencia entre ambos ámbitos de la sintaxis vocabular.

Cuando se desencadena un proceso de afijación o composición por el que se crea una palabra morfológicamente compleja, asistimos a un hecho, en principio, puramente morfológico que tiene, entre otras, sus propias reglas sintácticas de combinación morfemática. Este tipo de reglas constituye la sintaxis interna de la palabra. Pero tal proceso de afijación en su etapa terminal, esto es, cuando el afijo o elemento adjuntado se encuentra en la «cabeza» o «núcleo» de la palabra, desencadena una serie de operaciones relacionadas con la sintaxis oracional que desbordan ya el ámbito de la palabra pero que podemos entender como su sintaxis «externa» ya que son procesos que, incidiendo en la configuración canónica de la Oración (O), no obstante vienen determinados por ciertos cambios formales de la palabra. Pongamos un ejemplo.

En la adjunción del sufijo -*ble* del español a una base verbal entran en juego determinados rasgos de carácter sintáctico: de un lado, este sufijo viene marcado desde el lexicón con el rasgo categorial [+A] y subcategoriza una base [+V __]. Este verbo que le sirve de base se construye con dos argumentos: un Agente y un Tema o, en términos gramático-funcionales, un SN-sujeto y un SN-objeto, como se comprueba en la oración:

(11)
Juan$_{Ag}$ bebe agua$_{Tema}$

En (12) aparece el esquema de la regla léxica que convierte un verbo como «beber», con la estructura argumental referida , en el adjetivo «bebible», a través de la adjunción del sufijo -*ble*:

$$\textbf{-ble}_{[+A]} \quad [+\textbf{V}\underline{\quad}\ ]$$

(12) *bebe* [(Ag) (Tema)] $\longrightarrow$ *bebible*

El producto de la adjunción morfológica es fruto de la imposición de los rasgos del núcleo de la palabra, esto es, de los rasgos sintácticos que *absorbe* y *aporta* el sufijo en cuestión. Así, la nueva palabra será un adjetivo (lo que aporta el sufijo) con determinadas características verbales (lo que ha absorbido el sufijo de la base a la que se adjunta).

Hasta aquí podemos hablar de sintaxis «interna» de la palabra; es la parte de combinatoria sintáctica que recogen las reglas de formación de palabras, tal como vimos en el Capítulo 2.

Paralelamente, sin embargo, se produce un proceso por el cual, al formarse el adjetivo en cuestión, uno de los argumentos del verbo, el Agente en este caso, se elide por lo general y el otro argumento , el Tema en este caso, pasa a ocupar la posición sintáctica de sujeto de una O predicativa como p.e.:

(13)
El agua es bebible (*por Juan)

Este proceso sintáctico, sin embargo, es propio de lo que hemos llamado la sintaxis «externa» de la palabra y es una parte de la morfología léxica sin duda pertinente para la sintaxis oracional.

Gran parte de la investigación reciente sobre el tema se ha dedicado al descubrimiento y formulación de patrones generales de derivación morfológica, como un medio más de caracterizar la «competencia lingüística». En síntesis, nuestro modelo gramatical ha de ser capaz de predecir cuál va a ser el resultado de la transformación morfológica. En dicho intento, una vez más se plantea cuál sea el modo más adecuado de formalizar la relación entre morfología y sintaxis pues —es fácil imaginar— la manera en que se interrelacionan la formación de palabras y la estructura oracional se puede establecer desde diversos puntos de vista y sobre la base de distintas representaciones.

7.5. Modos de expresar la relación entre morfología y sintaxis

El interés, desde el ángulo de la morfología, por investigar en la sintaxis externa de la palabra obedece, en última instancia, al objetivo final de esta disciplina: poder dar cuenta de la creatividad léxica. Efectivamente, si conseguimos descubrir regularidades sintácticas sistemáticas relacionadas con la formación de determinados tipos de palabras complejas, estaremos más cerca de poder explicar por qué se han formado unas palabras derivadas y no otras y podremos predecir, con fundamento, qué palabras es verosímil que se creen en el estado actual de la lengua y cuáles no. Asimismo, podremos formular de manera general las características sintácticas que son propias de una forma derivada concreta por el hecho de pertenecer a un tipo morfológico determinado.

En relación con la derivación morfológica de una pieza compleja a partir de una simple, se han señalado tres situaciones, las lógicamente posibles: o bien la pieza derivada hereda los mismos constituyentes que acompañan a la pieza simple, o bien pierde algún constituyente o bien, por último, añade un nuevo constituyente. Veamos cada uno de estos tres casos por separado:

i) *Se conservan los mismos constituyentes*

(14)
a. Los albañiles *construye*n la casa
b. La *construcción* de la casa por los albañiles

ii) *Se pierde algún constituyente*

(15)
a. Los políticos *critican* las decisiones del gobierno
b. Las decisiones del gobierno son *criticables* (*por los políticos)
a'. Es *considerado* muy competente
b'. Es *inconsiderado* (*muy competente)

iii) *Se añade un nuevo constituyente*

(16)
a. El vestido es *ancho* (*por la modista)
b. El vestido es *ensanchado* por la modista

Lo interesante es averiguar si tales similitudes y discrepancias entre la articulación sintáctica de la pieza simple y la de la derivada son generalizables a tipos morfológicos concretos. Esto es, si la morfología derivativa puede sistematizarse en función de conexiones de carácter léxico-sintáctico claramente definidas.

7.5.1. Marco de Subcategorización

Hay autores que consideran que tal relación puede establecerse, efectivamente, de manera bien precisa y que el modo de lograrlo es tomando en consideración el *marco de subcategorización de la palabra base*, esto es, en atención a la categoría sintáctica de los argumentos que selecciona el núcleo del sintagma.

Así, por ejemplo, Randall (1982) ha enunciado la «Restricción de la Forma Compleja» según la cual, «la forma compleja heredará la subcategorización de su base si y solo si la subcategorización es no-marcada» (*op.cit.*, p. 50), suponiendo que los marcos de subcategorización no-marcados para un verbo son:

(17)
[_____ SN]   o bien   [_____ ϕ]

según sea el verbo transitivo o intransitivo, respectivamente.

De acuerdo con esto, un N-agentivo, por ejemplo, que se derive de un verbo transitivo puede heredar el SN-objeto; si el verbo es intransitivo, en cambio, no heredará complemento alguno:

(18)
a.   X *escribe* novelas policiacas a máquina
b.   *escritor* de novelas policiacas (*a máquina)

(19)
a.   X *corre* por el parque todas las mañanas
b.   *corredor* (*por el parque) (*todas las mañanas)

Es evidente que hay casos en los que los sintagmas con un nombre derivado agentivo como núcleo admiten otros complementos pero éstos no son en realidad complementos heredados del verbo base sino meros «complementos nominales» que pueden aparecer con cualquier otra clase de nombre, no necesariamente deverbal. Las variantes *a*) de los ejemplos que siguen incluyen complementos nominales; las variantes *b*), en cambio, aparecen con complementos seleccionados por los verbos-base correspondientes, convirtiendo a los SSNN en agramaticales.

(20)
a.   *esquiador* en mangas de camisa
b.   *esquiador* en el Valle de Arán (← esquía en el Valle de Arán)

(21)

a.   *pintor* de brocha gorda

b.   *pintor con brocha/con los dedos (← pinta con brocha / con los dedos)

(22)

a.   *corredor* de fondo

b.   *corredor a 20 km/h (← corre a 20km/h)

Otras formaciones derivadas, sin embargo, admiten todos los complementos subcategorizados por la base; este es el caso, p.e., de los nominales del inglés en *-ing*. La razón de esta posibilidad es que estas formaciones representan un proceso morfológico que no añade contenido semántico nuevo. En Randall (1984), se precisa el «Principio de Herencia» en los siguientes términos: una pieza derivada hereda la subcategorización total de su base si mantiene la categoría y/o el significado de la forma base. Si ambos cambian, la forma derivada heredará solo la porción no-marcada de la subcategorización de la forma base. Con este principio se pretende dar cuenta de la mayor liberalidad en la herencia de unas piezas léxicas frente a otras. Randall distingue cuatro tipos de procesos derivativos según cambien (+C) o no (−C) la categoría léxica de la base y según afecten (+θ) o no (−θ) a la estructura temática: [+θ +C]; [+θ −C]; [−θ +C]; [−θ −C].

Los procesos derivativos, como el de los nombradores agentivos, estarían al comienzo de la escala y solo heredarán, por tanto, la subcategorización no-marcada. En la parte inferior, estarían procesos morfológicos como los de la afijación flexiva: su estructura de complementación es idéntica a la de la pieza simple ya que no hay cambio de categoría ni de estructura temática.

Hemos visto que en la explicación anterior, además del marco de subcategorización, se hace referencia también a información de índole temática. Es ésta otra de las vías de investigación que se ha seguido en los últimos años dentro del proyecto de formalizar la relación entre morfología y sintaxis; a ella nos referimos a continuación.

7.5.2. Relaciones temáticas

Las funciones gramaticales como sujeto, objeto... que distinguimos en la Oración se pueden asociar con papeles temáticos (o papeles-θ), tales como «agente de la acción», «tema / objeto de la acción», «origen de la acción», etc. Dos son los factores que determinan el papel-θ de los sintagmas nominales: las propiedades semánticas inherentes a las piezas léxicas que son núcleo de su sintagma y las funciones gramaticales que los propios sintagmas desempeñen dentro de la oración.

Como ya hemos dicho, la noción de papel-θ se ha incorporado también a la explicación de la derivación morfológica. Así, en lugar de generalizar las relaciones gramaticales de la O al SN, como sugiere la terminología clásica, «genitivo-subjetivo»/ «genitivo-objetivo», aplicada a sintagmas del tipo:

(23)
El temor *de los enemigos*
a) *los enemigos* temen a X ($\rightarrow$ «gen. subjetivo»)
b) X teme *a los enemigos* ($\rightarrow$ «gen. objetivo»)

hay autores que defienden que en el proceso de derivación léxica no es este tipo de relación el pertinente sino el que viene determinado por funciones de carácter semántico como son los papeles-θ que detenten los argumentos del predicado.

Veamos un ejemplo de nominalización del español (Varela: 1980) que no parece explicable tomando en cuenta relaciones gramaticales del verbo que le sirve de base y donde, en cambio, la atención a los papeles-θ de los argumentos del predicado verbal posiblemente cumpla el objetivo de dar cuenta de la relación entre la estructura oracional y la nominal derivada de ella.

Este es el caso de nombres derivados del tipo *diversión* o *aburrimiento*, los cuales no se corresponden en su expansión sintáctica con sus respectivos verbos *divertir* y *aburrir*.

(24)
a. Juan *divierte/aburre* a los niños
b. La *diversión/el aburrimiento* de los niños (*por Juan)

En esta clase de nombres derivados, el SN-objeto del verbo se corresponde con el SN-sujeto del nominal; efectivamente, en «la diversión/el aburrimiento de los niños», la única interpretación posible es la correspondiente a «los niños se divierten/aburren» pero no la de «X divierte/aburre a los niños».

La explicación no puede residir en la estructura gramatical en la que se inserta el verbo que sirve de base a estos nominales. De hecho, los verbos llamados «causativos», con una articulación sintáctica aparentemente igual, permiten , en cambio, que sus nombradores derivados hereden tanto el sujeto como el objeto oracionales; es decir, el nominal de un verbo causativo puro se corresponde con la modalidad tanto transitiva como intransitiva de la oración-base. Tal hecho se puede comprobar con el mismo nombre *diversión* cuando deriva del verbo *divertir* con la acepción —ya en desuso— de «apartar, desviar»; en tal caso, el verbo es un verdadero causativo y, en consecuencia, su derivado permite la versión transitiva, como muestra el ejemplo de (25):

(25)
La *diversión* del enemigo por nuestras fuerzas

Los verbos de los que derivan los nombradores con una única estructura, la intransitiva, cuyo complemento con *de* sólo puede recibir, en consecuencia, la interpretación subjetiva, como es el caso de (24)b., constituyen una clase semántica especial, a la que se ha denominado de «cambio psicológico». A pesar de la semejanza, desde el punto de vista gramático-funcional, entre la estructura oracional de (26), donde el verbo es un causativo:

(26)
X *rompe* el cristal (→ el cristal *se rompe*)

y la de (27), donde el verbo es de los llamados de «cambio psicológico»:

(27)
X *aburre* a Juan (→ Juan *se aburre*)

es posible sostener que los papeles-θ de los argumentos de uno y otro predicado verbal no son, en modo alguno, iguales. Los verbos «psicológicos», como «aburrir» o «divertir» (en la acepción «causar diversión»), no designan un proceso material inducido por una causa externa, sino que hacen referencia a un cambio de estado anímico que afecta a objetos animados (humanos, generalmente) que son capaces de experimentar tales estados. La relación no es , por lo tanto, de proceso-acción, como en los verdaderos causativos, sino de proceso-experimentación.

El papel-θ del objeto verbal, en la versión transitiva, es el de Experimentante (Exp); es el que verdaderamente sufre o experimenta el proceso descrito por el verbo. El sujeto superficial, por su parte, no es un Agente (Ag), sino el «medio» o «instrumento» que desencadena el cambio anímico referido al SN-objeto, como se puede comprobar al incluir un adverbio como «personalmente», de los que se dicen seleccionados por el sujeto de la oración. En el caso de los verdaderos causativos, este adverbio se refiere al sujeto-agente (cfr. (28)a.); en cambio, en el caso de los verbos «psicológicos», es el objeto-experimentante, verdadero actor del proceso descrito por el verbo, el que se apropia del adverbio (cfr. (28)b.):

(28)

a. Personalmente, Juan me quemó / emborrachó...

b. Personalmente, Juan me divierte / aburre...

En resumidas cuentas, en los casos restringidos, como el de (24)b., el objeto del verbo-base aparece como sujeto del nominal y el sujeto del verbo —si es que aparece—, como el instrumento o la causa: «diversión con...», «aburrimiento a causa de...», nunca como complemento agente: «diversión por...», «aburrimiento por...» . Según el análisis que acabamos de presentar, es la peculiar estructura temática de los predicados «psicológicos» lo que determinaría que sus nombradores derivados tengan este comportamiento sintáctico particular.

Hay autores, sin embargo, que reivindican la oportunidad de explicar la derivación léxica —en suma, el modo de establecer un vínculo entre sintaxis y morfología— por medio de la caracterización gramatical ya antes mencionada (cfr. genitivo subjetivo / genitivo objetivo, p. 149). Veamos esta aproximación al tema que nos ocupa de manera más detallada.

7.5.3. Relaciones gramático-funcionales

En español, existe cierto número de «adjetivos-pasivos» en -do que proceden de verbos intransitivos:

(29)
(un joven) *atrevido*; (un hombre) *arrepentido*; (una chica) *decidida*

Estos adjetivos pueden entrar a formar parte de predicados atributivos ((30)a.), lo mismo que aquellos otros que derivan de verbos transitivos ((30)b.):

(30)
a. El culpable está *arrepentido*
b. El Polo Norte no está *habitado*

Si ponemos en relación estas formas derivadas en -*do* con la forma verbal simple correspondiente, comprobamos que en cada uno de los dos casos es un constituyente distinto de la Oración-base el que se erige en sujeto de la construcción predicativa adjetival.

En el caso de los adjetivos que derivan de verbos transitivos ((30)b.), parece posible enunciar una «Regla de Formación de Pasiva-adjetival» basándonos en las relaciones gramaticales que establece el predicado de la Oración-base con el SN-objeto directo: «el sujeto de un adjetivo-pasivo en -*do* será el objeto del verbo a partir del cual se ha formado el adjetivo».

En el caso de los verbos intransitivos, en cambio, tal posibilidad no existe debido a la ausencia de objeto-directo. En consecuencia, el adjetivo ha de seleccionar como sujeto otro argumento: el propio sujeto del predicado base.

Varios autores (vid. Williams: 1981a, Bresnan: 1982) han tratado de unificar en una sola regla la elección que hacen unos y otros adjetivos-pasivos en -*do* (ya deriven de V's intransitivos, ya de transitivos) de su argumento externo o sujeto, recurriendo al análisis temático del que hemos hablado en el apartado anterior: «el sujeto de las construcciones de pasiva-adjetival es el TEMA del verbo del cual se forma el adjetivo».

Otros autores (vid. Dryer: 1985) han reivindicado, sin embargo, la primacía de las relaciones gramaticales (frente a las argumentales) en la explicación de la derivación léxica. Sus críticas al análisis temático son de dos tipos. Una, de carácter general, objeta que las relaciones temáticas son nociones más bien intuitivas, que no se someten fácilmente a la contrastación empírica; otra, de carácter particular, referida a los adjetivos derivados en -*do*, afirma que en más de un caso es imposible sostener que sea el Tema el sujeto seleccionado por el adjetivo-pasivo. Así, p.e., en los ejemplos que siguen, el sujeto de la construcción de pasiva-adjetival es un argumento distinto del Tema:

(31)
a. Los pingüinos [Tema] habitan la Antártida [Locación]
b. La Antártida está *(des)habitada*

(32)
a. Los nuevos inquilinos [Tema] ocupan el último piso [Locación]
b. El último piso está *(des)ocupado*

(33)
a. Informamos a Guillermo [Destinatario] de la subida de la Bolsa [Tema]
b. Guillermo está *(des)informado*

Los defensores del análisis gramático-funcional consideran que aquellos casos problemáticos como son los de (30)a., con adjetivos procedentes de verbos intransitivos, son en realidad «excepciones irregulares» a la regla productiva de formación de la pasiva-adjetival en la cual —afirman— sólo es preciso mencionar que el sujeto de esta construcción es el objeto del verbo-base.

En este sentido, argumentan que los adjetivos «intransitivos», que se escapan a la regla general, están limitados por restricciones idiosincrásicas, tales como especializarse para determinados nombres; por ejemplo, nombres [+anim +hum], como muestra el ejemplo de (34)a., frente al ejemplo de (34)b. en que el adjetivo se predica de un nombre [-anim -hum]:

(34)
a. Es un hombre *decidido* / El hombre es/está *decidido*
b. Es una cuestión *decidida* / La cuestión está *decidida*

En algunos casos, además, estos adjetivos «intransitivos» no pueden aparecer en construcciones atributivas, como muestra el siguiente ejemplo:

(35)
Un hombre muy *viajado* → *El hombre es/está muy viajado

Por último, como otra de la objeciones al análisis temático, sostienen que los nuevos adjetivos de verbos intransitivos que no estén ya formados —y, por tanto, lexicalizados hasta cierto punto— suelen resultar inaceptables por más que sus verbos-base lleven sujetos-Tema:

(36)
Los hombres se prueban en las desgracias → *Los hombres son/ están probados

7.5.4. Aspectos configuracionales

La última de las hipótesis que repasaremos en relación con la vinculación de las reglas morfológicas a la sintaxis oracional es la que se basa en consideraciones de carácter configuracional, esto es, la que se fija en la estructura formal que plasma o representa las relaciones de *dominio* y *precedencia* que se establecen entre los constituyentes de la Oración.

Según los defensores de este enfoque, cierto número de palabras morfológicamente complejas se forman en la sintaxis; en el proceso que tiene lugar, lo relevante son las posiciones sintácticas —como núcleo o nudo adyacente— que ocupen aquellas piezas léxicas o elementos morfemáticos que se van a ver involucrados en el proceso de derivación léxica. No tiene relevancia, en opinión de estos autores, cómo sean tales elementos desde el punto de vista sintagmático, bien se los defina categorialmente (SN, SA...), bien temáticamente (Tema, Agente...).

Uno de los primeros trabajos en esta línea es el de Roeper y Siegel (1978) donde se enunció el llamado «Principio del Primer Nudo Hermano» el cual, referido a los compuestos deverbales del inglés como *peace-making* («el que hace las paces»), predice que tales piezas complejas se forman incorporando al verbo la palabra que esté inmediatamente a su derecha en la representación sintagmática:

(37)
She *makes peace* quickly
(«Ella hace las paces en seguida»)
a. peace-making
b. *quick(ly)-making

Otro de los principios que puede englobarse dentro de los de carácter configuracional es la llamada «Generalización del Complemento Unico» (vid. Levin y Rappaport: 1986). Referido a la formación de adjetivos-pasivos que veíamos en el apartado anterior, predice que aquel argumento del predicado que pueda aparecer como complemento único o exclusivo del verbo base será el que , llegado el caso, figurará como sujeto o argumento externo de la pasiva-adjetival. Por ejemplo, un verbo como *cargar* (= «poner en un vehículo mercancías para transportarlas») puede desplegar dos estructuras sintácticas diferentes, según muestran las oraciones de (38)a. y b., respectivamente:

(38)
a. El transportista cargó [los libros] [en la camioneta]
b. El transportista cargó [la camioneta] [con los libros]

Dado que cualquiera de los dos argumentos del verbo puede aparecer junto a él, el «Principio del Primer Nudo Hermano» que presentamos antes no nos permite averiguar cuál de ellos podrá figurar como sujeto de una pieza léxica derivada como el adjetivo pasivo «descargado».

Si observamos más atentamente los datos, la diferencia entre (39)a y b:

(39)
a. El transportista cargó la camioneta (con los libros)
b. El transportista cargó los libros *(en la camioneta)

nos muestra que es el SN «la camioneta» el que puede ir solo con el verbo, no necesitando del concurso de ningún otro complemento. De acuerdo con el principio enunciado por Levin y Rappaport sobre el «complemento único», es posible predecir, entonces, que será gramatical una oración atributiva con predicado adjetival como:

(40)
a. La camioneta está descargada/sobrecargada/(muy) recargada

pero no:

(40)
b. *Los libros están descargados/sobrecargados/(muy) recargados

La regla de formación de adjetivos-pasivos, consecuentemente, solo habrá de especificar: «exteriorícese, como sujeto de la pasiva-adjetival, el argumento directo del verbo».

Por último, mencionaremos que en Roeper (1988) se presenta una reelaboración del «Principio del Nudo Hermano» que examinamos antes, esta vez con referencia no a argumentos hermanos sino a nudos adyacentes, según la representación sintáctica de la «X-Barra», a la que ya hemos hecho referencia en capítulos anteriores.

Los esquemas arbóreos de (41) y (42) que se incluyen a continuación proponen una representación en la que se muestra la relación en inglés entre un verbo, al que se aplica el morfema participial -ed, y determinados constituyentes de la oración con los que puede combinarse para formar piezas léxicas compuestas.

En (41), vemos que el adverbio *well* («bien»), como adjunto del verbo, aparece en un nivel superior dentro de la estructura jerárquica de «X-Barra» (i.e. $\bar{V}$), quedando en una posición adyacente al verbo al que se va a incorporar para formar el compuesto *well-kept* («bien tenido»); la representación de (42), en cambio, muestra que el sintagma *in jail* («en la cárcel») no aparece en el nudo inmediatamente adyacente pues, siendo un argumento obligatorio del verbo, está al mismo nivel que él (i.e. $\bar{V}$). Esta diferencia en la configuración de constituyentes

explica que no se pueda crear, en consecuencia, un compuesto como
*jail-kept.

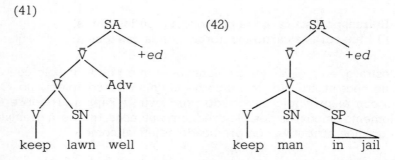

(41) SA

The lawn was *well-kept*
(lit.«El césped estaba bien-
tenido»)

(42) SA

*The man was *jail-kept*
(lit. «El hombre estaba
tenido-en-la-cárcel»)

En este asunto de la relación entre Morfología y Sintaxis, dentro de la Gramática Generativa, se ha cerrado el círculo. Partimos de una explicación transformacionalista, donde todo proceso de formación de palabras se encomendaba a la sintaxis, para pasar luego a un enfoque enteramente lexicalista , seguido de «puentes» con la sintaxis como son las explicaciones basadas en la subcategorización y las relaciones gramaticales o temáticas que hemos pesentado en los apartados anteriores. Y hoy, de nuevo, se reclama, al menos para ciertos fenómenos morfológicos, una explicación enteramente sintáctica, esta vez basada en el movimiento de determinados elementos de la oración que se incorporan sintácticamente a otros elementos para formar piezas morfológicamente complejas, produciendo el cambio categorial enteramente en la sintaxis.

7.6. La morfología: ¿componente independiente o parte de la sintaxis?

7.6.1. Los principios de la sintaxis operan en la morfología

A medida que se ha ido desarrollando el componente morfológico, ha quedado de manifiesto la gran similitud de las reglas sintácticas que operan en el componente morfológico con algunas de las que operan en el sintáctico, de tal manera que, una vez más, se han planteado los investigadores si es en realidad oportuno separar la morfología de la sintaxis; en efecto, si se demuestra que es posible explicar todos los aspectos morfotácticos de la formación de palabras con mecanismos propios del componente sintáctico, resultaría improcedente postular un componente morfológico autónomo.

Un componente se define por contar con unos elementos constitutivos propios, determinadas reglas a las que éstos se ajustan en su combinatoria y ciertos principios que determinan la forma y el funcionamiento de tales reglas.

En el Capítulo 2, se ha tratado de los primitivos propios de la morfología: raíz, tema, afijo, pero también ha quedado claro que la morfología comparte con la sintaxis un vocabulario técnico bastante extenso: categorías léxicas (N, V, A...), distinciones de persona y número, distinciones casuales, temporales, modales y aspectuales, entre otras.

El ámbito o dominio de la morfología también ha quedado fijado (pág. 144) con el deslinde entre la sintaxis interna de la palabra —la estrictamente morfológica— y su sintaxis externa.

Igualmente, hemos tratado de las reglas morfológicas y vimos ciertas condiciones, como la de adyacencia, que se aplican en el nivel vocabular y algunos principios teóricos que se han formulado específicamente en relación con la morfología (cfr. Cap. IV).

Es este último aspecto, con todo, el que más débilmente apoya, según algunos lingüistas, la supuesta autonomía del componente morfológico. En la concepción modular de la gramática (vid. Chomsky: 1981), los módulos no se definen por las reglas; el mismo conjunto de reglas puede aplicarse en módulos diferentes con distintas consecuencias en cada caso. En lo que nos ocupa, se ha resaltado la identidad entre las reglas y los principios que operan en la sintaxis , o estructura de constituyentes de la oración, y los que operan en la morfología, o estructura de constituyentes de la palabra. Veamos cuáles son estos puntos de semejanza:

a)   Ambas —Morfología y Sintaxis— exhiben estructuras jerárquicas (vid. Cap.3). Para explicar la estructura jerárquica de la palabra, en la que se muestran relaciones de dominio y dependencia, se han aplicado mecanismos reglares de descripción tomados de la sintaxis: las reglas de estructura sintagmática, basadas en la convención de la «X-Barra» (vid. Selkirk: 1982) y las Reglas de subcategorización (vid. Lieber: 1980), como vimos en el Cap. 2.

Siguiendo con factores puramente estructurales, vimos también cómo en la palabra compleja es posible reconocer un núcleo de la construcción. Este se define aquí posicionalmente y no como en sintaxis, donde la noción de núcleo es configuracional, pero, en cambio, a semejanza de lo que ocurre en sintaxis, las propiedades de un constituyente de nivel más alto son herencia de un constituyente específico inferior y menor: el núcleo, de donde se *filtran* de acuerdo con unas reglas precisas (cfr. Cap. 2).

b) Es posible probar, también, que, al igual que en la oración, en la palabra compleja se dan relaciones argumentales entre sus formantes o constituyentes. En el Capítulo 5, vimos cómo en ciertos compuestos nominales del español un formante no-núcleo recibe el papel-θ de Tema directamente del núcleo de la construcción léxica.

Igualmente, el llamado «Criterio-θ», que regula que cada argumento del predicado de la oración reciba uno y solo un papel-θ, permite dar cuenta de la mala formación de un sintagma como (43), con el agentivo deverbal en -*dor* como núcleo:

(43)
*gobernador por Juan

ya que, al absorber el sufijo -*dor* el papel de Agente, no se admite otro argumento (en este caso el SN «por Juan») con el mismo papel-θ, por más que éste se manifieste en un caso dentro de la palabra derivada y en el otro, fuera de ella.

Asimismo, la diferencia entre argumento externo y argumento interno parece ser relevante en morfología. En ciertas palabras compuestas, como los deverbales del esp. del tipo *limpiabotas* que vimos en el Capítulo 5, el núcleo de la construcción adjunta otro elemento léxico; éste debe cumplir el requisito de estar incluido en la proyección máxima del núcleo, razón por la que es buena una formación como (44) pero no lo es (45):

(44)
limpiabotas

(45)
*chicolimpia / *limpiachico

En efecto, las piezas léxicas con estructura composicional incorporan argumentos comprendidos dentro de su proyección máxima y no argumentos externos, como sería el caso si incorporara el sujeto de la oración (cfr. (45)).

c) algunos autores han sugerido asimismo que el «Principio de Proyección» (cfr. Cap. IV) que opera en la sintaxis se satisface también dentro de la palabra; esto es, que los elementos morfemáticos se ajustan a este principio, manteniendo todos los papeles-θ a lo largo de las operaciones léxicas. Así, de la misma manera que una oración como:

(46)
Juan aparca

está incompleta, si tomamos el verbo en un sentido aspectual no-puntual, ya que éste necesita ser complementado, como, p.e., en:

(47)
Juan aparca coches

sería también anómalo el SN de (48)a. e inaceptable el compuesto de (48)b.:

(48)
a. Juan es aparcador?
b. Juan es aparca?

pero no lo serían, en cambio, (49)a. y (49)b.:

(49)
a. Juan es aparcador de coches
b. Juan es aparcacoches

d) También parece que la «Teoría del Caso» de la sintaxis generativa (vid. Chomsky: 1981) permitiría explicar la imposibilidad de obtener, en ciertas lenguas, determinadas combinaciones morfemáticas que, en cambio, serían posibles en otras lenguas que admiten marcadores de caso dentro de la palabra (cfr. Cap. 5, pág. 114).

7.6.2 Las reglas sintácticas y las morfológicas se interrelacionan

Otra línea de investigación que defiende la estrecha vinculación de la morfología a la sintaxis se ha fijado concretamente en la interrelación entre los procesos sintácticos y la concatenación morfemática dentro de la palabra.

Antes de exponer este enfoque, sin embargo, diremos dos palabras sobre qué se entiene por autonomía de un componente (vid. Grimshaw: 1986). Por una parte, se puede considerar que un componente es autónomo porque contiene un conjunto de reglas o representaciones, definidas sobre un vocabulario específico y gobernadas por principios determinados. Por otra, es posible entender que un componente es autónomo por el hecho de estar dotado de una serie de reglas u operaciones que actúan como un bloque independiente en la organización de la Gramática.

En el enfoque que vamos a exponer a continuación, se acepta que la morfología es un componente autónomo en el primer sentido de «autonomía», pero no en el segundo. De hecho, se defiende que, especialmente en el caso de los compuestos de ciertas lenguas y en el de la morfología asociada con el cambio de función gramatical (i.e., la flexiva), la estructura de la palabra compleja no es independiente de la sintaxis, como, en cambio, se supone en la llamada «hipótesis lexicalista fuerte» (vid. Scalise: 1984).

Donde es más evidente la interdependencia entre reglas de la sintaxis y la formación de palabras complejas es en lenguas polisintéticas o incorporantes, en las que una base léxica toma cierto número de morfemas léxicos y los combina en una sola palabra. Como vimos en el Capítulo 5, en mohaqués es posible crear un nuevo nudo del nivel X^0, esto es, del nivel de la palabra, en la sintaxis mediante la adjunción de un constituyente de la oración a otro constituyente, según muestra la cadena reproducida en (50). A la izquierda de la flecha tenemos un N^0, núcleo de su propio sintagma (SN), el cual, según muestra la parte de la derecha de la regla, se incorpora al verbo (V^0), dejando tras de sí una huella (**h**), como ocurre cuando se produce el movimiento de cualquier elemento en la sintaxis desde su posición de origen.

(50)

SN [V^0 [N^0 ...]] → SN [[V^0 N^0] [**h**...]]
  SV   SN   SV V   SN

Lo que resulta más interesante y significativo de este tipo de formaciones léxicas es que, según parece, el nudo complejo X^0(= [V^0 N^0]) de la derecha de la regla se forma con arreglo a los mismos principios que regulan todo movimiento de constituyentes en la sintaxis.

Por otra parte, autores como Baker (1985, 1988 a y b) sostienen, además, que el lugar que ocupan los morfemas en las palabras complejas creadas en la sintaxis es reflejo directo del orden en que tienen lugar los cambios de función en la sintaxis. Esta generalización se conoce por el nombre del «Principio del Espejo». Así, la explicación de un hecho claramente morfológico —propio de lo que hemos llamado la «sintaxis interna de la palabra»—, como es el orden que presentan los afijos dentro de la secuencia morfemática, se hace depender de ciertos principios de la estructura oracional así como de las propiedades del movimiento sintagmático, poniendo una vez más en cuestión la supuesta autonomía de la morfología.

Además, a diferencia de lo que ocurre en otras lenguas, así el español, donde las palabras compuestas se forman en el léxico, en estas lenguas polisintéticas los elementos incorporados dentro de otros pueden proyectarse fuera de la palabra compleja y establecer por su cuenta relaciones de concordancia o relaciones anafóricas con otro u otros elementos de la cadena sintagmática (cfr. Cap. 5). Veamos esto con un ejemplo del groenlandés (vid. Bok-Bennema y A. Groos: 1988):

(51)
kissartu-(mik)   kavvi-sur-(put)
caliente (instr.)   café-beber (3.ª pl. ind.)
(«ellos café-bebieron caliente»)

(52)
nutaa-(mik)   piili-siur-(punga)
nuevo (instr.)   coche-buscar (1.ª sg. ind.)
(«yo coche-busco nuevo»)

Parece claro que en estas lenguas la vinculación de la morfología a la sintaxis es insoslayable. Ahora bien, no es éste el caso de otras lenguas, como el español, en las que los principios que rigen la colocación de los formantes dentro de la palabra están, en cambio, en contradicción con la sintaxis oracional (vid. Anderson: 1985) y donde las palabras morfológicamente complejas funcionan como una «isla» no permitiendo que partes de la palabra puedan establecer relaciones sintácticas fuera de la unidad léxica mayor (cfr. Cap. 2).

7.6.3. Independencia de la morfología

Lo interesante —y lo que da cuerpo y entidad a la morfología en el primer sentido de componente (cfr. pág. 160)— es que las palabras complejas, ya se formen en la sintaxis como en los casos vistos anteriormente (ex. (5O)), ya en el léxico, se revelan formalmente, es decir, *morfológicamente* iguales. Esto es, su origen, sintáctico o no sintáctico, no se trasluce en una morfología interna distinta. El modo de materializarse una cierta pieza compleja —aunque el proceso esté desencadenado en la sintaxis— está en consonancia con los requisitos estructurales de la derivación morfológica y condicionamientos fonológicos generales. Una cosa, por tanto, es que la morfología se interrelacione con la sintaxis (en el sentido de que las reglas de formación de palabras no actúan como un bloque con independencia de las propiedades oracionales) y otra el modo en que los morfemas concretos se realizan en la palabra, proceso éste sujeto a reglas puramente morfológicas, como es lo esperable tratándose de elementos sub-léxicos. El ejemplo más obvio es el hecho de que tanto la flexión como la derivación se realicen, en una lengua como la española, por medio de procedimientos de afijación idénticos (cfr. Cap. 4). También es posible comprobar que piezas léxicamente complejas pero fosilizadas o lexicalizadas para las que no es posible reclamar origen o conexión sintáctica alguna, son, en cambio, desde el punto de vista morfológico, iguales a las no-lexicalizadas (vid. Bloomfield: 1933). Y, al contrario, ocurre que formas sintácticamente iguales, en términos de estructura argumental o estructura jerárquica de la «X-Barra», pueden realizarse morfológicamente de manera distinta, como prueban los siguientes ejemplos, donde aparecen verbos causativos del español y del inglés formados en el primer caso *a*) por prefijación y en el segundo *b*), por sufijación.

(53)
a. *a*-grand-ar   ;   *en*noble («ennoblecer»)
b. fortal-*ec*-er   ;   hard*en* («endurecer»)

Asimismo, es relevante para la cuestión que los argumentos de un verbo puedan realizarse, en el caso de derivación léxica, como una pieza léxica independiente o como un morfema ligado a la raíz verbal, según muestran los casos que vimos en el Capítulo 5 del tipo *cuentagotas* vs. *contador de la luz* u otros del tipo:

(54)
a. $[X]_{Ag}$ escribe $[novelas]_{Tema}$ → escri$[tor]_{Ag}$ $[de\ novelas]_{Tema}$

Aquí la palabra compleja hereda la misma estructura argumental de la simple pero el argumento externo se «morfologiza» (a modo de sufijo =*tor*) ocupando un lugar preciso dentro de la palabra que no coincide con su lugar de generación en la sintaxis sino con los requisitos de todo núcleo morfológico sufijal. Por otra parte, el argumento interno se realiza como pieza léxica independiente dentro de un sintagma preposicional, en lo que hemos llamado la «sintaxis externa» de la palabra compleja.

Bibliografía

ACADEMIA ESPAÑOLA (1986): *Esbozo de una nueva gramática de la lengua española*. Espasa-Calpe, Madrid.

ALCOBA, S. (1987): «Los parasintéticos: constituyentes y estructura léxica», *Revista de la Sociedad Española de Lingüística* 17/2; 245-68.

—— (1988): «El morfema temático del verbo español», *Tercer Coloquio de Lingüística Hispánica*. Leipzig.

ALEMANY Y BOLUFER, J. (1920): *Tratado de la Formación de Palabras en la Lengua Castellana*. Librería General de Victoriano Suárez, Madrid.

ALLEN, M. (1978): *Morphological Investigations*. Tesis doctoral, U. de Connecticut.

ANDERSON, S. (1977): «On the Formal Description of Inflection», *Chicago Linguistic Society* 13; 15-44.

—— (1982): «Where's Morphology», *Linguistic Inquiry* 13; 571-612.

—— (1985): *Phonology in the Twentieth Century*. The University of Chicago Press, Chicago.

—— (1986): «Disjunctive Ordering in Inflectional Morphology», *Natural Language & Linguistic Theory* 4; 1-32.

—— (1988a): «Morphological Theory», Cap. 6 y «Morphological Change», Cap. 13, en F. Newmeyer (ed.): *Linguistics: The Cambridge Survey* I. Cambridge University Press, Cambridge.

—— (1988b): «Inflection», en M. Hammond y M. Noonan (eds.): *Theoretical Morphology*. Academic Press, Nueva York; 23-43.

ARONOFF, M. (1976): *Word Formation in Generative Grammar*. MIT Press, Cambridge (Mass.).

—— (1980): «The Relevance of Productivity in a Synchronic Description of Word Formation», en J. Fisiak (ed.): *Historical Morphology*. Mouton, La Haya; 71-82.

BADEKER, W. y A. CARAMAZZA (1989): «A Lexical Distinction between Inflection and Derivation», *Linguistic Inquiry* 20; 108-16.

BAKER, M. (1985): «The Mirror Principle and Morphosyntactic Explanation», *Linguistic Inquiry* 16; 376-416.

—— (1988a): «Morphology and Syntax: An Interlocking Independence», en M. Everaert *et alii* (eds.): *Morphology and Modularity*. Foris, Dordrecht; 9-32.

—— (1988b): *Incorporation*. The University of Chicago Press, Chicago.

BALLENGER, S. T. (1955): «Bound Suffixes in Spanish», *Hispania* XXXVIII 3; 282-84.

BASBØLL, H. (1988): «Phonological Theory», en F. Newmeyer (ed.): *Linguistics: The Cambridge Survey* I. Cambridge University Press, Cambridge.

BIERWISCH, M. (1967): «Syntactic Features in Morphology», en *To Honor Roman Jakobson*. Mouton, La Haya; 239-70.

BLOOMFIELD, L. (1933): *Language*. Holt, Nueva York. Citado por la 14.ª edición (1979): George Allen & Unwin, Londres.

BOIJ, G. y T. van HAAFTEN (1988): «On the External Syntax of Derived Words: Evidence from Dutch», *Yearbook of Morphology*. Foris, Dordrecht; 29-44.

BOK-BENNEMA, R. y A. GROOS (1988): «Adjacency and Incorporation», en M. Everaert *et alii* (eds.): *Morphology and Modularity*. Foris, Dordrecht; 33-56.

BORER, H. (1983): «The Projection Principle and Rules of Morphology», *North Eastern Linguistic Society* 14; 16-33.

BOSQUE, I. (1976): «Sobre la interpretación causativa de los verbos adjetivados», en *Estudios de gramática generativa*. Labor, Barcelona; 109-17.

—— (1982): «La morfología», en F. Abad y A. García Berrio (coords.): *Introducción a la Lingüística*. Alhambra, Madrid; 115-53.

BOTHA, R. (1984): *Morphological Mechanisms*. Pergamon, Oxford.

BRESNAN, J. (1982): The Passive in Lexical Theory», en J. Bresnan (ed.): *The Mental Representation of Grammatical Relations*. MIT Press, Cambridge (Mass.); 3-86.

BUSTOS, E. (1966): «Algunas observaciones sobre la palabra compuesta», *Revista de Filología Española* 49; 255-74.

BUSTOS GISBERT, E. (1986): *La composición nominal en español*. Ed. U. de Salamanca, Salamanca.

BYBEE, J. (1985): *Morphology. A Study of the Relation between Meaning and Form*. John Benjamins, Amsterdam.

CHOMSKY, N. (1970): «Remarks on Nominalization», vers. esp. en Sánchez de Zavala (comp.) (1974): *Semántica y Sintaxis en Lingüística Transformatoria* I. Alianza, Madrid; 133-187.

—— (1975): «Questions of Form and Interpretation», *Linguistic Analysis* 1, 1; 75-109. Vers. esp. (1977): *Cuestiones de Forma e Interpretación*. Teorema, Valencia.

—— (1981): *Lectures on Government and Binding*. Foris, Dordrecht.

—— y M. HALLE (1968): *The Sound Pattern of English*. Ginn & Co., Nueva York. Vers. esp. (1979): *Principios de fonología generativa*. Fundamentos, Madrid.

CLARK, E. y R. BERMAN (1984): «Structure and Use in the Acquisition of Word Formation», *Language* 60,3; 542-90.

COMRIE, B. (1976): *Aspect*. Cambridge University Press, Cambridge.

—— (1981): *Language Universals and Linguistic Typology. Syntax and Morphology*. Blackwell, Oxford. Vers. esp. (1989): Gredos, Madrid.

CONTRERAS, H. (1977): «Spanish Epenthesis and Stress», *Working Papers in Linguistics* 3, University of Washington Press, Seattle (Wash.); 9-33.

—— (1985): «Spanish Exocentric Compounds», en F. Nuessel (ed.): *Current Issues in Hispanic Phonology and Morphology*. Indiana University Linguistics Club, Bloomington (Indiana); 14-27.

CORBIN, D. (1980): «Contradictions et inadequations de l'analyse parasynthétique en morphologie dérivationnelle», en *Théories linguistiques et traditions grammaticales*. Presses Universitaires de Lille, Villeneuve d'Arcq; 182-224.

—— (1987): *Morphologie dérivationnelle et structuration du lexique*. Niemeyer, Tubinga.

DiSCIULLO, A. M. y E. WILLIAMS (1987): *On the Definition of Word*. MIT Press, Cambridge (Mass.).

DRYER, D. (1985): «The Role of Thematic Relations in Adjectival Passives», *Linguistic Inquiry* 16; 320-26.

DURIE, M. (1986): «The Grammaticization of Number as a Verbal Category», *Berkeley Linguistic Society* 12; 355-70.

EGEA, E. (1979): *Los adverbios terminados en -mente en el español contemporáneo.* Instituto Caro y Cuervo, Bogotá.

FERNANDEZ RAMIREZ, S. (1986): *La Derivación Nominal.* (Ordenado y completado por I. Bosque). Anejo XL del Boletín de la Real Academia Española, Madrid.

FOLEY, J. (1985): «Quatre principes de l'analyse morphologique», *Langages* 78; 57-72.

GRIMSHAW, J. (1986): «A Morphosyntactic Explanation for the Mirror Principle», *Linguistic Inquiry* 17; 745-49.

GRUBER, J. (1965): *Studies in Lexical Relations.* Tesis doctoral, MIT.

GUILBERT, L. (1975): *La créativité lexicale.* Larousse, París.

HALLE, M. (1973): «Prolegomena to a Theory of Word Formation», *Linguistic Inquiry* 4; 3-16.

—— y K. MOHANAN (1985): «Segmental Phonology of Modern English», *Linguistic Inquiry* 16; 57-116.

HARRIS, J. (1983): *Syllable Structure and Stress in Spanish. A Nonlinear Analysis.* Linguistic Inquiry, monografía n.º 8, The MIT Press, Cambridge (Mass.).

—— (1984): «Autosegmental Phonology, Lexical Phonology, and Spanish Nasals», en Aronoff y Oehrle (eds.): *Language Sound Structure.* The MIT Press, Cambridge (Mass.); 67-82.

—— (1985): «Spanish Word Markers», en F. Nuessel (ed.): *Current Issues in Hispanic Phonology and Morphology.* Indiana University Linguistics Club, Bloomington (Indiana); 34-53.

HOCKETT, C. (1947): «Problems of Morphemic Analysis», *Language* 23; 321-43. Reeditado en M. Joos (ed.) (4ª ed.) (1966): Readings in Linguistics I. University of Chicago Press, Chicago.

HOEKSTRA, T. y F. Van Der PUTTEN (1988): «Inheritance Phenomena», en M. Everaert *et alii* (eds.): *Morphology and Modularity.* Foris, Dordrecht; 163-86.

JACKENDOFF, R. (1972): *Semantic Interpretation in Generative Grammar.* MIT Press, Cambridge (Mass.).

—— (1975): «Morphological and Semantic Regularities in the Lexicon», *Language* 51; 474-98.

JAEGGLI, O. (1980): «Spanish Diminutives», en F. Nuessel (ed.): *Contemporary Studies in Romance Languages.* Indiana University Linguistics Club, Bloomington (Indiana); 142-58.

—— (1986): «Passive», *Linguistic Inquiry* 17; 587-622.

JENSEN, J. y M. JENSEN (1984): «Morphology is in the Lexicon!», *Linguistic Inquiry* 15; 474-98.

KAISSE, E. y P. SHAW (1985): «On the Theory of Lexical Phonology», *Phonology Yearbook* 2; 1-30.

KIEFER, F. (1973): «Morphology in Generative Grammar», en M. Gross *et alii* (eds.): *The Formal Analysis of Natural Languages.* Mouton, La Haya; 265-80.

KILBURY, J. (1976): *The Development of Morphophonemic Theory.* John Benjamins, Amsterdam.

KIPARSKY, P. (1982): «Lexical Morphology and Phonology», en I. S. Yang (ed.): *Linguistics in the Morning Calm.* Hanshin, Seúl. Reeditado bajo el título: «From Cyclic Phonology to Lexical Phonology», en Van der Hulst y N. Smith (eds.) (1982): *The Structure of Phonological Representations* I. Foris, Dordrecht; 131-175.

—— (1983): «Word Formation and the Lexicon», en F. Ingemann (ed.): *Proceedings of the 1982 Mid-America Linguistic Conference.* U. of Kansas, Lawrence.

—— (1985): «Some Consequences of Lexical Phonology», *Phonology Yearbook* 2; 85-138.

KVAKIK, K. (1975): «Spanish Noun Suffixes: A Synchronic Perspective on Methodological Problems, Characteristic Patterns, and Usage Data», *Linguistics* 156; 23-78.

LAZARO CARRETER, F. (1972): «Sobre el problema de los interfijos: ¿Consonantes antihiáticas en español?», en *Homenaje a A. Tovar*. Gredos, Madrid; 253-64. Reeditado en (1980): *Estudios de Lingüística*. Crítica, Barcelona; 11-26.

LAZARO MORA, F. (1976): «Compatibilidad entre lexemas nominales y sufijos diminutivos», *Boletín del Instituto Caro y Cuervo* XXXI; 41-57.

—— (1986): «Sobre la parasíntesis en español», *Dicenda* 5; 221-35.

LEES, R. (1960): *The Grammar of English Nominalizations*. Mouton, La Haya.

LEVIN, B. y M. RAPPAPORT (1986): «The Formation of Adjectival Passives», *Linguistic Inquiry* 17; 623-62.

LIEBER, R. (1980): *On the Organization of the Lexicon*. Tesis doctoral, MIT. (1983): Indiana University Linguistics Club, Bloomington (Indiana).

—— (1982): «Allomorphy», *Linguistic Inquiry* 10; 27-52.

—— (1983): «Argument Linking and Compounds in English», *Linguistic Inquiry* 14; 251-85.

—— (1988): «Configurational and Nonconfigurational Morphology», en M. Everaert *et alii* (eds.): *Morphology and Modularity*. Foris, Dordrecht; 187-215.

LUJAN, M. (1980): *Sintaxis y semántica del adjetivo*. Cátedra, Madrid.

LYONS, J. (1977): *Semantics*. Cambridge University Press, Cambridge. Vers. esp. (1980): Teide, Barcelona.

LLOYD, P. (1971): «An Analytical Survey of Studies in Romance Word Formation», *Romance Philology* XXV, 2; 159-72.

MALKIEL, Y. (1957): «Los interfijos hispánicos. Problemas de Lingüística histórica y estructural», en *Miscelánea Homenaje a A. Martinet (II)*. Universidad de la Laguna, La Laguna; 107-99.

MARANTZ, A. (1988): «Clitics, Morphological Merger and the Mapping to Phonological Structure», en M. Hammond y M. Noonan (eds.): *Theoretical Morphology*. Academic Press, Nueva York; 253-70.

MARCHAND, H. (1969): *The Categories and Types of Present-Day English Word-Formation*. Beck, Munich.

van MARLE, J. (1985): *On the Paradigmatic Dimension of Morphological Creativity*. Foris, Dordrecht.

—— (1988): «On the Role of Semantics in Productivity Change», *Yearbook of Morphology*; 139-54.

MARTIN BALDONADO, J. y A. ALLEN (1981): «New Studies in Romance Parasynthetic Derivation», *Romance Philology* XXXV, 1; 63-88.

MASCARO, J. (1986): *Morfologia catalana*. Enciclopèdia Catalana, Barcelona.

MATTHEWS, P. (1972): *Inflectional Morphology*. Cambridge University Press, Cambridge.

—— (1980): *Morfología. Introducción a la teoría de la estructura de la palabra*. Paraninfo, Madrid.

MOHANAN, K. P. (1982): *Lexical Phonology*. Tesis doctoral, MIT.

—— y T. MOHANAN (1984): «Lexical Phonology of the Consonant System in Malayalam», *Linguistic Inquiry* 15; 575-602.

—— (1986): *The Theory of Lexical Morphology*. Reidel, Dordrecht.

MOIGNET, G. (1963): «L'incidence de l'adverbe et l'adverbialisation des adjectifs», *Travaux de Linguistique et de Littérature* I; 175-94.

MONGE, F. (1970): «Los nombres de acción en español», *Actele celui de-al XII-lea Congres Internațional de Linguistică și Filologie Romanică*. Bucarest; 961-72.

MURPHY, S. (1954): «A Description of Noun Suffixes in Colloquial Spanish», en H. Kahane y A. Pietrangeli (eds.): *Descriptive Studies in Spanish Grammar*. U. of Illinois Press, Urbana; 1-48.

NARVAEZ, R. (1970): *An Outline of Spanish Morphology*. EMC Corporation, St. Paul (Minn).

NIDA, E. (1949): *Morphology. The Descriptive Analysis of Words*. The University of Michigan Press, Ann Arbor.

PESETSKY, D. (1979): *Russian Morphology and Lexical Theory*. Ms. MIT.

—— (1985): «Morphology and Logical Form», *Linguistic Inquiry* 16; 193-246.

PIERA, C. (1982): «Spanish Plurals. A Further Look at the "Non Concatenative" Solution», *Cornell Working Papers in Linguistics* 3; 44-57.

PILLEUX, M. (1983): *Formación de palabras en español*. Alborada, Santiago de Chile.

POLLOCK, J. (1989): «Verb Movement, Universal Grammar and the Structure of IP», *Linguistic Inquiry* 20; 365-424.

QUILIS, A. (1970): «Sobre la morfofonología: Morfofonología de los prefijos en español», *Revista de la Universidad de Madrid*, t. IV, vol. XIX, n° 74; 223-48.

RANDALL, J. (1982): *Morphological Struture and Language Acquisition*. Tesis Doctoral, U. de Massachusetts, (Amherst). (Publicada en Garland, Nueva York).

—— (1984): «Thematic Structure and Inheritance», *Quaderni di Semantica* 5/1; 92-100.

REINHEIMER-RIPEANU, S. (1974): *Les dérivés parasynthétiques dans les langues romanes*. Mouton, La Haya.

REULAND, E. (1988): «Relating Morphological and Syntactic Structure», en M. Everaert *et alii* (eds.): *Morphology and Modularity*. Foris, Dordrecht; 303-37.

ROCA PONS, J. (1966): «Estudio morfológico del verbo español», *Revista de Filología Española* XLIX; 73-89.

RODRIGUEZ ADRADOS, F. (1969): *Lingüística estructural*. Gredos, Madrid.

ROEPER, T. (1987): «Implicit Arguments and the Head-Complement Relations», *Linguistic Inquiry* 18; 267-310.

—— (1988): «Compound Syntax and Head Movement», *Yearbook of Morphology* 1. Foris, Dordrecht; 187-228.

—— y M. SIEGEL (1978): «A Lexical Transformation for Verbal Compounds», *Linguistic Inquiry* 9; 197-260.

RUBACH, J. (1985): «Lexical Phonology: Lexical and Postlexical Derivations», *Phonology Yearbook* 2; 157-72.

SAPORTA, S. (1959): «Morpheme Alternants in Spanish», en H. Kahane y A. Pietrangeli (eds.): *Structural Studies on Spanish Themes*. Urbana: U. of Illinois Press.

SCALISE, S. (1984): *Generative Morphology*. Foris, Dordrecht. Vers. esp. (1987), Alianza, Madrid.

—— (1988): «Il suffiso -*mente*», ms. Universidad de Venecia.

SCHANE, S. (1973): *Generative Phonology*. Englewood Cliffs, N.J.: Prentice Hall. Vers. esp. (1979), Labor, Barcelona.

SECO, M. (1972): *Gramática esencial del español*. Aguilar, Madrid.

SELKIRK, E. (1982): *The Syntax of Words*. MIT Press, Cambridge (Mass.).

—— (1984): *Phonology and Syntax: The Relation between Sound and Structure*. MIT Press, Cambridge (Mass.).

SIEGEL, D. (1974): *Topics in English Morphology*. Foris, Dordrecht.

——(1977): «The Adjacency Condition and the Theory of Morphology», en M. Stein (ed.): *Proceedings of the 8th Annual Meeting of the North Eastern Linguistic Society*; 189-97.

SOLE, C. (1966): *Morfología del Adjetivo*. Georgetown University Press, Washington D.C.

SPROAT, R. (1984): «On Bracketing Paradoxes», en M. Speas y R. Sproat (eds.): *Papers from the 1984 MIT Workshop in Morphology*. MIT Working Papers in Linguistics 7; 110-30.

—— (1985): *On Deriving the Lexicon*. Tesis doctoral, MIT.

—— (1988): «Bracketing Paradoxes, Clitization and other Topics», en M. Everaert *et alii* (eds.): *Morphology and Modularity*. Foris, Dordrecht; 339-60.

STOCKWELL, R., D. BOWEN y J. MARTIN (1965): *The Grammatical Structures of English and Spanish*. University of Chicago Press, Chicago.

TENNY, C. (1987): *Grammaticalizing Aspect and Affectedness*. Tesis doctoral, MIT.

THOMAS-FLINDERS, T. (1981): «Inflectional Morphology: Introduction to the Extended-Word-and-Paradigm Theory». *UCLA Papers in Linguistics 4*.

TRANEL, B. (1976): «A Generative Treatment of the Prefix *in-* of Modern French», *Language* 52, 2; 345-69.

TRUBETZKOY, N. (1929): «Sur la morphonologie», Travaux du Cercle Linguistique de Prague I; 85-88. Recogido en la edición francesa de J. Cantineau (1949): *Principes de Phonologie*. Klincksieck, París.

URRUTIA, H. (1978): *Lengua y discurso en la creación léxica*. Planeta, Madrid.

VARELA, S. (1980): «En torno a la morfología derivativa», *Español Actual* 37-38; 1-6.

—— (1986): «The Organization of the Lexical Component», Ponencia presentada en el I Morphology Meeting, Veszprém (Hungría). (1990): *Acta Linguistica*; 206-215.

—— (1987): «Spanish Endocentric Compounds and The 'Atom Condition'», ponencia presentada en el XVII Linguistic Symposium on Romance Languages; Rutgers University. Publicada en C. Kirschner y J. DeCesaris (eds.) (1989): *Studies in Romance Linguistics*. John Benjamins, Amsterdam; 397-441.

—— (1988): «Flexión y derivación en la morfología léxica», *Homenaje a A. Zamora Vicente*. Castalia, Madrid; 511-24.

—— (1989): «Verbal and Adjectival Participles in Spanish», ponencia presentada en el XIX Linguistic Symposium on Romance Languages, Ohio State University. Se publicará en John Benjamins, Amsterdam.

WASOW, T. (1977): «Transformations and the Lexicon», en P. Culicover, T. Wasow y A. Akmajian (eds.): *Formal Syntax*. Academic Press, Nueva York; 327-60.

WILLIAMS, E. (1981a): «Argument Structure and Morphology», *Linguistic Review* 1; 81-114.

—— (1981b): «On the Notions 'Lexically Related' and 'Head of a Word'», *Linguistic Inquiry* 12, ; 245-74.

YNDURAIN, F. (1963): «Compuestos de verbo + complemento», *Presente y futuro de la lengua española* II; 297-302.

ZWANENBURG, W. (1988): «Morphological Structure and Level Ordering», en M. Everaert *et al* (eds.): *Morphology and Modularity*. Foris, Dordrecht; 395-410.

ZWICKY, A. (1984): «Heads», en A. Zwicky y R. Wallace (eds.): *Papers on Morphology*. Ohio State U. Working Papers in Linguistics 29; 50-69.